LES TACHES DU LÉOPARD

Du même auteur

Le Tout-Paris, Gallimard, 1952.

Nouveaux Portraits, Gallimard, 1954.

La Nouvelle Vague, Gallimard, 1958.

Si je mens..., Stock, 1972 ; LGF/Le Livre de Poche, 1973.

Une poignée d'eau, Robert Laffont, 1973.

La Comédie du pouvoir, Fayard ; LGF/Le Livre de Poche, 1979.

Ce que je crois, Grasset, 1978 ; LGF/Le Livre de Poche, 1979.

Une femme honorable, Fayard, 1981 ; LGF/Le Livre de Poche, 1982.

Le Bon Plaisir, Mazarine, 1983 ; LGF/Le Livre de Poche, 1984.

Christian Dior, Éditions du Regard, 1987.

Alma Mahler ou l'Art d'être aimée, Robert Laffont, 1988 ; Presses-Pocket, 1989.

Écoutez-moi (avec Günter Grass), Maren Sell, 1988 ; Presses-Pocket, 1990.

Leçons particulières, Fayard, 1990 ; LGF/Le Livre de Poche, 1992.

Jenny Marx ou la Femme du Diable, Robert Laffont, 1992 ; Feryane, 1992 ; Presses-Pocket, 1993.

Les Hommes et les Femmes (avec Bernard-Henri Lévy), Orban, 1993 ; LGF, 1994.

Le Journal d'une Parisienne, Seuil, 1994 ; coll. « Points », 1995.

Mon très cher amour..., Grasset, 1994 ; LGF, 1996.

Cosima la sublime, Fayard/Plon, 1996.

Chienne d'année : 1995, Journal d'une Parisienne (vol. 2), Seuil, 1996.

Cœur de tigre, Fayard, 1995 ; Pocket, 1997.

Gais-z-et-contents : 1996, Journal d'une Parisienne (vol. 3), Seuil, 1997.

Arthur ou le bonheur de vivre, Fayard, 1997.

Deux et deux font trois, Grasset, 1998.

Les Françaises, Fayard, 1999.

La Rumeur du monde, Journal 1997 et 1998, Fayard, 1999.

Histoires (presque) vraies, Fayard, 2000.

C'est arrivé hier, Fayard, 2000.

On ne peut pas être heureux tout le temps, Fayard, 2001.

Profession journaliste : conversations avec Martine de Rabaudy, Hachette Littératures, 2001.

Lou, histoire d'une femme libre, Fayard, 2002.

Françoise Giroud

Les taches
du léopard

roman

Fayard

NOTE DE L'ÉDITEUR

À notre vif regret, nous avons constaté, alors que le présent ouvrage se trouvait sous presses, que *Les Taches du léopard* était le titre d'un roman de Jacques Perry, publié aux Éditions Belfond en 1993 et ne figurant plus dans les banques de données des ouvrages disponibles.

Nous remercions très chaleureusement Jacques Perry, prévenu, de nous avoir donné son accord à l'utilisation de ce titre.

J'ai bien connu Sarah Berger – sous son véritable nom. C'est son histoire si singulière qui m'a inspiré l'envie d'écrire ce roman. Mais elle en est le seul personnage qui a racine dans la réalité. Tous les autres relèvent de la fiction. Ils n'existent qu'en papier. Toute coïncidence avec des situations ou des personnes que l'on croirait reconnaître serait donc fortuite.

À la mémoire
d'Alex Grall

« Un Éthiopien peut-il changer sa peau, et un léopard ses taches ? »
La Bible. Livre de Jérémie le Prophète, XIII. 23

1

Denis Sérignac était aussi heureux qu'on peut l'être à vingt ans. Toutes routes ouvertes devant lui, entre lesquelles il lui faudrait bientôt choisir, il n'était pas pressé de s'enchaîner à un métier, à un amour, à quoi que ce soit, mais se sentait disponible pour l'aventure, d'où qu'elle vienne. Tout ce que lui réservait la vie, cette puissance cachée, il en avait la gourmandise. En attendant, pour répondre au désir de sa mère, il poursuivait de bonnes études à Assas où son seul plaisir était de tabasser de temps en temps des petits cons fascistes qui lui avaient une fois cassé le nez.

Denis aimait sa mère, qu'il appelait Mimi. Et même, ce veinard aimait son père après une crise majeure dont on reparlera peut-être.

Il aimait aussi le football, Bob Dylan, la techno, les filles intelligentes à queue de cheval blonde, auxquelles il récitait des vers d'Apollinaire.

Il aimait la vie. Il avait une obscure confiance envers l'Homme, que lui avait transmise sa mère. Cette confiance que rien, même les démentis de l'expérience, ne parvient à déraciner tout à fait des cœurs qui en ont été nourris.

Il se sentait préposé au bonheur.

On sait que le Tout-Puissant exècre le bonheur, contre lequel Il ne cesse d'œuvrer pour se venger d'avoir raté l'Homme – et la Femme. Dans le plan de la Création, il n'entre pas qu'ils puissent être heureux, dit Freud.

À l'origine, Denis était de la chair à malheur et aurait dû le rester. L'enfant était « né sous X », c'est-à-dire d'identité non déclarée, abandonné à sa naissance par sa mère.

Or, le bébé malingre promis à une triste destinée était devenu ce beau jeune homme doré, ardent, audacieux, rieur, sain de corps et d'esprit, adulé par des parents attendris – un magistrat, une avocate, des chrétiens de gauche bon cru. Lui avait un visage maigre et sensible, intelligent, tourmenté ; elle, un lourd chignon blond qui croulait sans cesse, et alors, avec ses joues à peine poudrées et ses yeux larges, très bleus, elle semblait une adolescente.

Depuis que dans les bureaux de la DDASS, une femme en blouse blanche avait désigné Denis, qui hurlait, en disant : « Celui-là devrait vous aller... », Agnès Sérignac avait reçu un coup de foudre. Elle avait pris doucement le nourrisson dans ses bras. Il avait cessé aussitôt de pleurer. C'est elle qui avait failli se laisser gagner par les larmes.

– Le poil sera sombre, mais les yeux seront bleus, je crois, avait dit la femme de la DDASS.

– Reste-t-il des formalités ? s'était enquis Romain Sérignac en essayant de dissimuler son émotion.

– Non, tout est en ordre. Vous avez été assez patients ! Mais vous avez tiré le bon numéro, vous verrez !

– Comment s'appelle-t-il ?

– Comme vous voudrez ; sa mère n'a donné qu'une initiale : D. Alors, nous l'appelions Dédé…

– Ah non ! s'était insurgée Agnès Sérignac. Nous l'appellerons Denis, comme mon père, tu es d'accord ?

Romain Sérignac avait approuvé.

– Je vous rappelle que vous ne devrez jamais chercher à percer l'anonymat de la mère, dont l'Administration seule conserve le secret.

– La mère de l'enfant, c'est moi, maintenant, avait déclaré Agnès.

Et elle avait serré si fort Denis contre elle qu'il s'était remis à pleurer.

Denis était le cadeau que Romain Sérignac avait promis à sa femme pour ses trente ans, lorsqu'il fut avéré que le couple ne pouvait avoir d'enfant. On leur avait suggéré d'essayer les méthodes modernes d'insémination. Elles leur répugnaient. Faire le bonheur d'un enfant perdu leur plaisait, en revanche. Tel était le chemin qui les avait conduits jusqu'à Denis après de longues tribulations administratives dont ils crurent ne jamais triompher. Découragés, ils avaient même failli, comme d'autres, aller au Chili, ou au Vietnam, mais là, d'autres difficultés surgirent… Enfin leur attente avait été récompensée. Comme chacun sait, rien n'est pire que d'avoir des enfants, sauf de n'en pas avoir.

Peu de temps après l'arrivée de Denis dans la maison Sérignac, Romain fut nommé à Paris à la Chancellerie. Agnès dut réorganiser sa vie professionnelle et engagea, pour veiller sur Denis, une Italienne qui s'était présentée. Mi-nurse mi-femme de chambre, elle se prénommait Alba. Vingt ans après, Baba, comme l'appelait tendrement Denis, était encore là. Aussi fut-il, ce marmot, aimé, soigné, éduqué comme un petit prince.

Les Sérignac étaient gens de bonne culture. Lui se distinguait de son milieu en aimant la peinture contemporaine. Il disait : « Elle me parle ; je suis toujours étonné par le nombre de gens qui n'entendent pas ce qu'elle nous dit. » Le samedi, il emmenait Denis, enfant, « faire les galeries », et le dimanche chiner chez les brocanteurs du Marché aux Puces. Le petit garçon lui donna une grande joie le jour où, au musée de l'Orangerie, saisi par les *Nymphéas* de Monet, il se mit à courir tout le long de l'immense toile en la caressant. Le gardien fut si touché de cet élan qu'il le laissa faire.

Plus tard, quand Romain crut deviner les raisons de l'abrutissement de son fils, alternant avec une agressivité nouvelle, il en fut bouleversé. De fait, à dix-huit ans, entraîné par un copain plus âgé, Denis avait trop poussé sur le hasch. Sa faculté de concentration s'était émoussée, sa mémoire le trahissait, il somnolait. Il voulut essayer la cocaïne, réputée stimulante, puis tâta de l'héroïne, pour voir. Il en retira des sensations intenses dont il n'avait pas même imaginé l'existence. Il était complètement intoxiqué quand, un dimanche où il feignait de travailler dans sa chambre en écoutant *Imagine* qu'il avait mis en boucle, Romain Sérignac entra brusquement. Il dit simplement :

– Bon, maintenant, ça suffit. Je t'emmène.

– Fous-moi la paix, avait répliqué Denis, je n'ai plus douze ans, et je ne suis pas l'un de tes clients que tu peux foutre en taule…

Mais Sérignac l'avait pris solidement par le bras pour le conduire jusqu'à la voiture où les attendait Agnès. En la voyant, Denis détourna les yeux, honteux, répétant mécaniquement :

– Laissez-moi, mais laissez-moi…

– Tu veux vraiment que nous te laissions, Denis ? dit doucement Sérignac. Tu es malade, mon petit. Il te faut un médecin qui sache soigner cette maladie-là. Je t'emmène chez le meilleur : Olievenstein. Il t'attend. Fais ce qu'il te dira.

La désintoxication, longue, fut une épreuve pour Denis – pourquoi se priver de ce plaisir fou, unique ? –, mais il en sortit transformé, avec une maturité nouvelle. Réfléchissant sur lui-même, il avait conclu qu'aucun « mal de vivre » ne l'avait conduit à la drogue, plutôt la curiosité, qui est un bien. Aucun sentiment de culpabilité ne l'effleurait. Et après avoir haï pendant quelques jours son père, lorsque le sevrage était devenu intolérable, il se dit que le « vieux » n'avait pas été mal, en définitive…

Il souhaita – et obtint sans difficulté – un studio en ville où Alba venait remplir le frigidaire et changer la couette. Là, il travailla dur pour rattraper le temps d'études perdu.

Le soir de l'anniversaire de Denis, c'est Alba qui apporta, triomphante, le gâteau de sa fabrication, orné de vingt bougies. Cousins et cousines s'étaient cotisés pour lui offrir tous les gadgets informatiques possibles, du plus rustique au plus sophistiqué ; il en raffolait. Romain Sérignac y avait ajouté le plus plat des ordinateurs portables. Seule Agnès s'était cantonnée dans le chandail en cachemire.

Bref, dans une bonne maison française, une bonne famille française, bien unie, fêtait joyeusement un garçon que tout le monde aimait.

C'est le moment où le ciel lui tomba sur la tête.

Depuis vingt ans, les Sérignac s'étaient souvent interrogés, surtout au début : fallait-il prévenir Denis qu'il était un enfant adopté ? Et puis, devant la résistance d'Agnès, le couple avait refoulé toute velléité de lui révéler le secret de sa naissance. Un secret bien gardé, d'ailleurs. Mis à part la sœur d'Agnès et son médecin, nul n'était au courant ni ne s'était d'ailleurs étonné qu'il y eut un jour un bébé au foyer des Sérignac. La vérité avait été si profondément enfouie qu'on l'aurait crue dissoute. Mais la vérité que l'on cache ne se dissout jamais.

Romain Sérignac avait mis un terme à leurs hésitations en déclarant : « Je lui parlerai le jour de ses vingt ans. » Et voilà que ce jour était arrivé.

Pendant que Denis raccompagnait ses amis à la porte dans de grands éclats de rire et des bourrades à « Denis-le-vieux », Agnès souffla à son mari :

– Attends demain. Ce n'est pas à un jour près… Attends, Romain !

Mais il n'avait jamais manqué à aucun de ses engagements, fût-ce vis-à-vis de lui-même. Il saisit son fils par le bras et lui dit :

– Accorde-moi un moment avant d'aller faire la fête. J'ai quelque chose à te dire. Ce ne sera pas long.

Dix minutes après, Denis bondit dans la chambre de sa mère pour l'embrasser follement, comme il faisait enfant, et lui dire :

– Je m'en fous, Mimi, de cette histoire ! Je m'en fous complètement ! S'il y a eu des salauds pour m'abandonner, qu'ils crèvent !

Il bafouillait pour dire qu'il était fier et heureux de les avoir pour parents, des paroles maladroites et tendres se bousculaient pour sortir de sa bouche.

Avant de partir avec ses amis, il lança encore :

– On n'en parle plus, hein ? On n'en parle plus, jamais !

– Comme tu voudras, répondit Romain Sérignac. C'est toi qui décides.

2

J'ai fait la connaissance de Denis quelque dix ans après cette soirée mémorable, à Londres où il avait remonté avec succès une grande galerie d'art sur le déclin. Sa compagne, une Anglaise ravissante, portait un gros chignon blond croulant... J'étais venue lui acheter une toile de David Hockney pour le compte d'un collectionneur français qui en raffolait.

Je le trouvai sympathique, dur dans le marchandage, comme il est normal, mais sympathique. J'étais étonnée mais contente de tomber sur un interlocuteur français.

Je les ai invités tous deux à dîner au Connaught, un peu vieux jeu, mais incomparable. Cette année-là, comme toujours, il y avait à Londres une flopée d'expositions plus attirantes les unes que les autres. Le problème, pour se rendre de l'une à l'autre, était la circulation, insensée, et le métro en panne une heure sur deux. Denis me proposa sa voiture et son chauffeur :

– Vous avancerez lentement, me dit-il, mais prenez vos journaux, faites votre courrier, et le temps passera très bien. Je vous accompagnerai aux Vermeer.

Pendant ces quelques jours où je restai à Londres, j'ai eu l'impression que nous semions les graines de ce qui pourrait devenir une amitié. Il adorait le jazz, le meilleur. Il était insomniaque et passait le plus clair de ses nuits dans un club où jouait un pianiste génial auquel il demandait en arrivant *Lonely Woman*. C'était un rite, en hommage à Ornett Coleman. J'ai vu tout de suite qu'il s'y connaissait. Le jazz, on ne peut l'écouter à côté d'un plouc. On communiait.

Sa compagne préférait la peinture, qu'elle connaissait bien, et même très bien, comme lui. Ce n'était pas un couple d'amateurs. Au demeurant, on ne réussit pas à Londres dans ce secteur ultra-sensible en amateur.

Enfin je suis venue lui dire au revoir, lui remettre un chèque – considérable – qu'il fourra dans sa poche de veste sans même y jeter un regard, et l'entraînai dans un bar voisin pour boire le verre de l'amitié. (Je bois beaucoup, je sais, ne m'embêtez pas avec ça ! Laissez chacun juger de ce qui l'aide à vivre…) À peine étions-nous assis qu'il me dit :

– Bess, est-ce que je peux vous poser une question ? Si vous ne voulez pas me répondre, je comprendrai.

– Une question ? La question que vous voulez, mon vieux !

– Est-ce que vous êtes juive ?

J'étais ahurie. Il n'y a pas de pays où une telle question peut être plus incongrue de la part d'un homme bien élevé. Je lui dis :

– Oui et non : **mon** père était juif, ma mère protestante… Et alors ?

– Alors, vous allez peut-être pouvoir m'aider.

C'est sur cette parole sibylline que nous nous sommes quittés avant que je ne rate mon avion.

Il me cria encore :

— Je viendrai vous voir à Paris, je vous expliquerai !

Il m'a expliqué. J'en tremble encore, quand j'y repense.

Un soir, Agnès Sérignac, qui dort mal, s'étonne d'entendre la télévision de Denis très avant dans la nuit. Elle entre dans sa chambre, coupe le son et arrête le magnétoscope.

— Tu sais l'heure qu'il est ? Qu'est-ce que tu regardes de si passionnant ?

— Je te raconterai, Mimi. Va te coucher, je suis désolé de t'avoir réveillée...

Il la met gentiment dehors, rembobine la cassette du magnétoscope, la retire et la met sous clef dans un tiroir.

C'est une copine d'Assas, Marie, qui la lui a donnée. Sa meilleure copine ; un peu plus, même. Il lui permet de l'aimer. Elle a enregistré la cassette pour lui. Il s'agit d'une longue émission de Mireille Dumas où témoignent des femmes accouchées sous X, c'est-à-dire ayant choisi d'abandonner l'enfant auquel elles ont donné naissance sans que leur nom puisse être jamais révélé à quiconque, et, d'autre part, des enfants adoptés qui cherchent désespérément à retrouver la mère qui les a abandonnés.

Tout cela est long, confus, larmoyant, mais, pour Denis, saisissant. Il est bouleversé. Il a pris brusquement conscience d'une situation concrète : quelque part dans le monde, il y a sa mère.

C'est la première chose qu'il raconte à Bess quand ils se retrouvent tous les deux chez elle, à Paris, devant une bouteille de whisky.

L'appartement de Bess est un somptueux foutoir, mais il y a de belles choses au mur. Denis ne regarde rien, absorbé dans son récit :

– C'est drôle, quand mon père m'a appris que j'étais un enfant adopté, cela m'a… comment dire… étonné : j'étais habitué à mes parents comme à des pantoufles. C'était quelque chose de neuf, de bizarre, d'inutile, dont je n'avais pas besoin. Cela ne m'a pas troublé. En tout cas, je n'en ai jamais eu la moindre prescience, c'est te dire avec quel amour vigilant les Sérignac m'ont élevé ! Je n'ai aujourd'hui souvenir que d'un incident : c'était avec ma tante Madeleine, j'avais renversé sur elle une cafetière, elle était furieuse et a crié : « Mais d'où sors-tu, espèce de petit voyou ? » Agnès est devenue blanche. Elle a murmuré : « Retire ce que tu as dit, retire-le, tu entends ? – Mais bien sûr, je le retire… », a dit Madeleine, confuse. L'impression m'a vaguement, très vaguement, effleuré, ce jour-là, que derrière cet échange se cachait quelque chose qui me concernait… Mais cela ne s'est jamais plus reproduit.

« Le soir de mes vingt ans, je n'ai pas compris tout de suite qu'avec les meilleures intentions du monde, mes bien-aimés parents venaient de me tuer. Ils ont tué Denis Sérignac, leur œuvre, leur commun chef-d'œuvre. Sur l'instant, ils ne le savent pas, moi non plus. Je ne me demande pas dans l'immédiat qui je suis, *d'où je sors*, comme disait ma tante Madeleine. L'idée qui commence à m'obséder, c'est que j'ai une mère quelque part. Et je ne sais pas qui c'est. Et je ne la connaîtrai peut-être jamais.

« Je vois dans une émission de télévision que des gens de mon âge, nés sous X, ont retrouvé leur mère. J'en parle à Marie, parce que j'ai confiance en elle. Elle est bien, Marie. Quand je lui ai dit, un jour : "Ma mère, connais pas ; elle m'a largué, il paraît que ça se fait beaucoup…", elle, Marie, a décidé de m'aider à vivre ça. Je passe sur les démarches stériles auprès de l'administration, la quête du moindre indice, les fausses pistes, l'espoir quand Alba a parlé… Alba a connu ma mère enceinte. Elle n'a jamais rien dit à personne, elle s'est fait engager à la maison, où elle sert depuis vingt ans, sans avoir ouvert la bouche, pour veiller sur moi. C'est Marie qui a eu l'idée de l'interroger… Alba s'est rappelé une adresse, un tout petit bout de fil rouge… Bref, un jour, un an après, Marie croit avoir retrouvé la trace de ma mère. Sauf erreur, elle habite Paris, dans le Marais ; elle se rend tous les jours au Louvre ; elle habite seule. Elle se nomme Sarah Berger.

« Marie se débrouille pour la photographier dans la rue quand elle monte dans sa Smart. Elle est brune, fine, élégante…

« – Tu es sûr que tu veux la connaître ? me demande Marie.

« – Non. Je ne suis sûr de rien du tout.

« – Alors, n'y va pas. Rien ne t'y oblige. En tout cas, ce n'est pas urgent. Elle ne va pas s'envoler…

« Le soir même, à 7 h 30, je sonne chez Sarah Berger. J'ai un trac épouvantable, le sentiment de trahir mes parents, peur de ce que je vais trouver. Rien de ce qui va se passer ici et maintenant ne sera insignifiant.

« C'est elle qui m'ouvre la porte, enroulée dans un drap de bain, une torsade de cheveux noirs relevée sur la tête. Elle demande : "Qui êtes-vous ? Que voulez-vous ? Les étrennes, déjà ?" Elle fait le geste de chercher son sac.

« – Non, je lui dis, je ne veux pas d'étrennes. Je voudrais m'entretenir un moment avec vous…

« – Je vous connais ?

« – Oui. Depuis très longtemps, même si vous ne me reconnaissez pas.

« Je me fie à ma belle gueule pour la dissuader de me mettre dehors, et j'ai raison.

« – Entrez. Et attendez là… Je vais passer un peignoir, dit-elle.

« Je trouve qu'elle a l'air bien jeune pour une mère, mais je n'ai jamais su discerner l'âge des femmes.

« J'entre dans une grande pièce joliment aménagée, bien éclairée, pleine de fleurs. J'ai le cœur qui bat, la bouche sèche. Par quoi vais-je commencer ? Elle revient non coiffée. Je la trouve plutôt belle, avec quelque chose de las qui disparaît quand elle sourit.

« – Alors, où nous sommes-nous rencontrés ?

« Je réponds par cette phrase que j'ai préparée :

« – La première fois, c'était à l'hôpital… Vous étiez en train d'accoucher et le bébé qui s'est présenté, c'était moi…

« Long silence de ma mère. Elle est interloquée, suffoquée.

« – Comment puis-je en être sûre ?

« – Si je ne craignais pas d'être insolent, madame, je vous dirais que ça ne s'invente pas. Ma date de naissance vous rassurerait ?

« – Je n'ai pas besoin d'être rassurée, réplique Sarah. J'ai besoin que vous partiez d'ici et que vous n'y remettiez jamais plus les pieds, jamais !

« Cet accueil commençait à m'intriguer. Moi qui m'étais vaguement imaginé tombant dans ses bras ! Je dis :

« – Soit. Je m'en vais. Vous m'aurez donc renié deux fois. Cela ne doit pas se voir tous les jours.

« Alors elle a crié :

« – Mais je ne t'ai jamais renié, jamais ! Tu ne sais pas de quoi tu parles ! Je t'ai sauvé d'une malédiction, voilà la vérité ! Comment t'appelles-tu ?

« – Denis Sérignac.

« – Avec ce nom-là et ces yeux-là, tu as la vie devant toi, Denis. Si tu portes le mien, tu hériteras un fardeau de larmes, la fin d'un certain bonheur, d'une certaine insouciance, d'une joie de vivre…

« Je n'y comprenais rien, j'ai hurlé :

« – Pourquoi, mais pourquoi ?

« – Parce que je suis juive, et qu'en conséquence, si j'avais un fils, il le serait aussi. C'est pourquoi, il y a vingt ans, je n'ai pas voulu de toi. Je n'ai pas voulu mettre un enfant juif au monde, tu comprends ? On n'a pas le droit !

« Je suis suffoqué. Je dis :

« – Vous êtes folle !

« – C'est ce que disait ton père.

« – Mon père… Qui est-il ? Où est-il ?

« – Il a disparu quelque part, aux États-Unis. Il ne m'a jamais pardonné de lui avoir caché ce que j'avais fait en mettant à profit l'un de ses voyages. Quand il est rentré, il m'a demandé : "Où est notre fils ?" J'ai répondu : "Nous n'avons pas de fils, nous n'avons jamais eu de fils !…" Il a essayé de te récupérer, mais tout était verrouillé.

« Elle s'est mise à pleurer sans bruit, à grosses larmes. Tout à coup, elle a eu dix ans de plus, un visage ravagé. Je suis resté pétrifié, incapable du moindre geste. Elle a dit :

« – Laissez-moi, sinon je vais succomber, vous embrasser, et tout ce que j'ai enduré aura été vain. Laissez-moi ! Laissez-moi, monsieur Sérignac !

« Elle criait, maintenant. J'ai répondu que j'allais la laisser – pour ce soir.

« Franchement, je ne savais plus où j'en étais, j'avais envie de prendre l'air.

« C'est alors qu'on sonna à la porte.

« – C'est un ami qui vient me chercher pour dîner, dit Sarah en allant ouvrir. Taisez-vous, je vous en conjure !

« À l'époque, je buvais rarement de l'alcool. Mais, ce soir-là, dans une boîte russe que nous fréquentions parfois, j'ai pris la cuite de ma vie sous le regard alarmé de Marie qui n'a pas pu me tirer un mot à propos de Sarah Berger.

« Ce jour-là, je suis mort à moi-même. Je veux dire : Denis Sérignac est mort en même temps que s'écroulaient les conventions qui, jusque-là, constituaient mon univers mental.

« J'avais tout imaginé, quand j'étais parti à la recherche de ma mère, y compris qu'elle pouvait être une prostituée, ou encore une fille de famille bourgeoise, enceinte mal à propos. J'avais construit des fables où je débarquais comme le sauveur tardif mais déterminé d'une douce créature persécutée, j'imaginais ma mère comme l'héroïne d'un roman russe... Là, je n'étais pas tellement loin de la vérité, sauf qu'elle n'était pas russe, mais juive, et à partir de là je n'y comprenais plus rien.

« Je ne connais pas de Juifs, sauf de loin, à part deux copains de lycée. Pour moi, Denis Sérignac, fils d'Agnès et de Romain Sérignac, ce n'est ni un centre d'intérêt, ni un sujet de conversation, ni un motif de curiosité. Et j'apprends que pour ma mère, c'est une malédiction dont elle a voulu protéger son fils, dont elle me supplie aujourd'hui de me tenir écarté, puisque je le puis, mais voilà que, dans le temps, je suis en train de me démanteler...

« Si je puis vous raconter tout cela, Bess, et si vous m'écoutez, c'est parce que vous êtes vous-même une sang-mêlé, donc, un jour ou l'autre, vous avez dû affronter un problème d'identification à l'un ou l'autre de vos parents...

– J'ai dû mal à le résoudre, puisque, comme vous voyez, j'en suis à mon quatrième whisky en deux heures ! Venez... Emmenez-moi dîner dans un bon endroit, et c'est moi qui vous raconterai ma vie, dit Bess, moitié riant. Comment trouvez-vous mon vison ? C'est ma commission sur le Hockney qui l'a payé...

À Paris, Denis n'avait pas de voiture. Ils marchèrent un moment le long de la Seine. Le bruit était infernal, les voitures agglutinées en un serpent obèse...

– J'aime Paris, murmura Denis. Malgré tout ça...

3

Il est temps que je me présente, puisque je me suis introduite dans cette histoire. Je m'appelle Bessie Gould, du nom de mon troisième mari qui est mort en me laissant sur la paille, parce qu'il jouait. Cela se passait à New York où je connaissais tout le monde. C'était mon seul capital.

Tout Américain riche veut avoir au moins un Chagall chez lui. S'il est juif, il en veut deux. Outre Chagall, on peut décliner une vingtaine de noms d'artistes que chacun veut exhiber sur ses murs. Une poignée de ces riches collectionneurs sait vraiment de quoi il s'agit.

Moi, je savais. Mon père était critique d'art. Pour gagner ma vie, j'ai entrepris de devenir l'intermédiaire entre l'acheteur potentiel et l'artiste ou sa galerie. J'ai du bagou, des connaissances, je sais manipuler les riches parce que j'en ai été, je connais leur méfiance, je sais le prix de l'argent ; bref, je peux dire que j'ai réussi à imposer mon courtage.

Cela mis à part, je ne suis pas jolie, mais j'ai une « gueule » dont on se souvient, disent mes amis, je sais m'habiller, je fais l'osso-buco comme personne – et je bois trop, mais cela, vous le savez déjà. Au fond d'une certaine solitude, qu'y a-t-il d'autre à faire pour supporter la vie ? Le hasch ne me réussit pas, ni aucune des saloperies qui traînent dans toutes les réunions à New York. Je préfère cent fois vivre à Paris, pourtant l'argent est là-bas, aussi en Suisse et en Allemagne, mais j'y suis moins introduite. Que vous dire encore ? Ah, mon âge ! J'ai trente-cinq ans. Un quatrième mari ne m'effraierait pas, mais je n'en vois pas la nécessité. J'ai déjà donné. Je gagne très bien ma vie, j'entretiens des relations délicieuses avec quelques hommes qui sont vraiment mes amis ; qu'il y ait eu ou non entre nous quelque chose de différent pendant deux-trois semaines, là n'est pas la question. Ils m'adorent parce que je suis d'humeur toujours égale, prête à écouter leurs lamentations sur tous les sujets : les femmes, la Bourse, le football, et à leur donner de bons conseils pour faire un cadeau d'anniversaire à leur mère. Je peux aussi parler d'autres choses, j'ai un diplôme d'histoire du Moyen Âge et un d'économie. Donc, un mari m'encombrerait plutôt... En revanche, j'adopterais bien ce Denis dans mon écurie d'amis. Il a un grand charme. Si je louais quelque chose à Londres pour la saison ? Il me pose sérieusement la question !

Folle, on lui a tellement dit qu'elle était folle, Sarah, qu'elle en rit. Où sont les fous ? Ceux qui n'ont pas d'yeux pour voir, ceux qui ignorent l'Histoire ? Elle n'est pas idiote, elle n'est pas obsédée, elle ne redoute rien pour elle. Elle ne croit pas qu'il y aura des pogroms en Seine-et-Oise, des fours en Corrèze, des Bousquet et des Papon dans toutes les préfectures, pas du tout, même si certains de ses amis déraillent à cet égard… Avec bon sens, elle croit qu'il vaut mieux être blanc, riche et bien portant que noir, juif et malade. Et quand on n'est pas tombé dans la bonne catégorie ? Eh bien, on fait avec, mais quand on a si peu que ce soit le sens des responsabilités, on n'ajoute pas une âme au groupe des mal-barrés. Des handicapés de la vie. Telle est sa philosophie.

Elle a une amie dont la famille a péri à Auschwitz, qui a préféré avorter plutôt que de donner la vie à un enfant juif. Sarah, elle, n'aurait pas fait cela. Elle n'a jamais voulu supprimer son enfant. Elle a voulu qu'il vive, mais épargné par la malédiction.

Tout à l'heure, quand elle a vu ce grand garçon avec des airs de jeune premier américain, bêtement elle en a été presque fière : c'est moi qui ai fait ça ! ce parfait produit d'une famille française sans tache ! Cherchez le Juif, vous ne le trouverez pas… Le nez ? Il est fin… Le dos ? Plat… Le pied ? Cambré… L'œil ? Bleu… Nourri au bon lait des vaches de Normandie depuis cinq générations, monsieur l'inspecteur, il est impénétrable ! Même Kafka n'y verrait que du feu… Ma mère avait raison quand elle paraphrasait Simone de Beauvoir : « On ne naît pas juif, on le devient… » Mais qu'est-ce que j'ai fait, qu'est-ce que j'ai fait en admettant devant lui qu'il était mon fils ? Quelle folie ! Quel gâchis, s'il commence à en faire part !

Les réactions de Denis, telles qu'il me les a rapportées pendant cette séance de confidences où j'ai vidé une bouteille

33

de Chivas, ont été bonnes. Droites, honnêtes comme il est. D'abord, il a mis ses parents au courant avec un minimum de détails. De Sarah il a dit : « Il est trop tôt pour en parler, mais je ne crois pas que ce soit une personne que j'aurai envie de voir tous les jours. Je la crois dérangée. »

La voix étranglée, Agnès a demandé : « Mais tu te conduiras bien avec elle, n'est-ce pas ? »

Il a répondu : « J'essaierai. »

À Marie seule il a dit que Sarah Berger était juive – et à moitié folle. Qu'après avoir été fortement ému devant elle, il n'avait eu que l'envie de prendre la fuite. Que, maintenant, toute cette histoire l'embêtait à mourir.

Marie a voulu savoir s'il reverrait Sarah.

« Une fois, a répondu Denis. Parce que je voudrais en savoir un peu plus long sur mon père. »

Marie l'a trouvé changé, vieilli en quelques semaines. « Quelque chose d'innocent a disparu de ton visage », a-t-elle remarqué, et il en a été frappé parce qu'elle disait juste, comme souvent.

Denis est retourné voir Sarah Berger, naturellement. Cette fois, elle est tombée dans ses bras. Le contact physique de ce corps tiède sous un peignoir de soie l'a troublé, il s'est dégagé. Il a laissé tomber d'un ton sec : « Habillez-vous, je vous prie... » Elle a obéi, enfilé un pantalon et un chandail noirs qui lui allaient bien. Elle s'est pelotonnée sur l'un des grands canapés qui cernaient une table de marbre où s'empilaient des revues d'art. Un certain désordre esthétique régnait dans la pièce.

– Donc, lui dit-elle, tu es revenu.

– Comme... – il bute sur le « tu » –, comme tu vois. Je voudrais quelques précisions sur mon père, si ce n'est pas trop exiger. Je viens d'où ? Vous étiez mariés ?

Sarah fait effort pour être claire et brève :

– Mariés, oui. Ni riches ni pauvres, on s'en fout. Lui est biologiste, on le dit brillant, il enseigne quelques semaines par an aux États-Unis. Moi, je suis fonctionnaire, conservateur au Louvre. Il n'y a pas un membre de ma famille qui ait échappé au four crématoire, sauf deux vieilles tantes qui sont ma mémoire. Elles ont conservé une masse de photos. Avec ton père, nous n'évoquions jamais la guerre, les camps, la Shoah, etc. Il ne veut pas en entendre parler, il trouve ce ressassement malsain, stérile. Il s'intéresse aux textes bibliques, au Talmud, à l'histoire du peuple juif à travers les siècles, il me donne des livres à lire sur ce sujet, mais dans une perspective spirituelle, nullement par macération morose. Il veut former des escouades de jeunes Juifs physiquement très entraînés, pour le jour où. Où quoi ?... Où ça recommencera. Comment, où, pourquoi, par quoi ? Il ne sait pas. Mais il tient la persécution et la tragédie pour inscrites dans le destin juif. Inéluctables... À part ça, il a de l'humour, il est séduisant. Tu lui ressembles. C'est un Juif blond aux yeux bleus, comme il y en a tant en Russie, comme il y en avait tant en Pologne et en Allemagne. Ses parents à lui ont émigré à temps. Qu'est-ce que tu veux savoir encore ?

Sarah s'efforce de parler calmement, comme s'ils ne se trouvaient pas l'un et l'autre dans une situation inouïe. Denis absorbe ce qu'elle dit comme un buvard.

– Qu'est-ce que tu peux me fournir comme indications que je le retrouve, si j'en ai envie ?

– Pas grand-chose. Son nom et l'université où il enseignait, s'il y est encore…

– Tu ne l'as jamais revu ?

– Jamais.

– Il t'a pardonné ?

– Jamais.

– Il a eu d'autres enfants ?

– Oui, trois.

– En somme, je ne peux être pour lui qu'un mauvais souvenir ?

– Selon toute probabilité, oui.

– J'en tiendrai compte, fait Denis. Et du côté de mes grands-parents, tu ne vois rien d'intéressant à me raconter ? Pas de héros, pas de génie, d'escroc notoire, pas de putains ? Des chiffonniers, des ouvriers fourreurs, c'est ça ?

– Pas du tout. Le père de ton père était médecin. Il a refait ses études en France pour pouvoir exercer. De mon côté, mon grand-père était éditeur. J'ai été élevée dans les livres. Sa maison lui a été volée par son associé qui n'était pas juif. Quand il a appris qu'il ne la retrouverait jamais, il s'est suicidé. Mais ça te sert à quoi, de savoir tout cela ?

– À te connaître, à tenter de comprendre ce geste insensé que tu as fait…

Quand Denis rapporta cette conversation à Marie pendant qu'elle faisait réchauffer une pizza surgelée, il ajouta :

– Je vais être cynique, mais, en fait de père, ce biologiste talmudiste ne me dit rien. Je préfère garder le mien, qui m'a fait répéter mes cours de philo tous les soirs, et garder mes prétendus grands-parents du Sud-Ouest, ma prétendue grand-mère qui fait un si bon foie gras…

– L'éditeur qui s'est suicidé, tu le balances aussi au bénéfice de ta grand-mère mercière de Mont-de-Marsan ?

– Celui-là, je veux bien le garder…

Il se jeta sur la pizza brûlante, jura… Il avait soudain sur le visage cette expression mauvaise que Marie redoutait depuis quelque temps. Elle ne put s'empêcher de demander :

– Qu'est-ce que tu as ?

Il repoussa son assiette, son verre, se leva, se jeta sur le divan où dormait le chat de Marie qui en fut tout offensé.

– J'ai, répondit-il, que je suis en train de te mentir et de me mentir. Personne ne peut renier le sang qui coule dans ses veines sans qu'à un moment donné il se rappelle à lui. Tous ces gens dont Sarah m'a parlé, je ne dois pas les nier, mais les intégrer. Je suis juif, Marie, il n'y a rien à faire !

– Mais pourquoi faudrait-il en faire un plat ? répliqua Marie. On s'en fout que tu sois juif ou iroquois ! D'ailleurs, qu'est-ce que ça veut dire, aujourd'hui ? Ce n'est ni glorieux, ni honteux, ni même dangereux… Aucune ambition ne t'est interdite. Rien ne nous distingue, toi et moi. Tu peux même devenir flic, si tu veux !

– Flic ?… Pourquoi je voudrais devenir flic ?

– C'est Daniel, ton copain, qui dit toujours : « Israël est un beau pays, parce que même les flics y sont juifs ! Là-bas, on n'est le Juif de personne… »

– Daniel est parano. Quand sa teinturière lui rend un vêtement mal nettoyé, il dit : « C'est parce qu'elle n'aime pas les Juifs ! » Et le plus fort, le plus fort, je vais te dire, c'est qu'il a peut-être raison !

Marie en resta bouche bée.

– Écoute, soupira-t-elle, on est en train de dire n'importe quoi, et la pizza froide, c'est dégueulasse. Viens ! Lève-toi ! On va dîner quelque part...

Cette scène que je rapporte telle que Denis me l'a racontée s'est répétée plusieurs fois au gré de ses oscillations entre le désir qu'il éprouvait de s'assumer en tant que juif, puisque aussi bien il l'était, et sa résistance à le devenir, puisque rien ne l'y obligeait.

Il me raconta comment il avait essayé d'analyser cette résistance. D'abord, tout bêtement, il était heureux dans sa peau, heureux de son état, heureux dans sa famille, et il n'était nullement assuré de l'être dans une autre peau. Sarah Berger l'attirait et même le fascinait, mais, à choisir, il aurait préféré être son amant plutôt que son fils. Il continuait à se sentir complètement le fils d'Agnès et détestait chez Sarah ce grain de folie... Il n'aimait pas la folie, elle lui faisait peur.

Enfin, son copain Daniel, qui était effectivement parano, fils de parano à la puissance dix, adorait toutes les anecdotes où un Juif, quelquefois connu, avait eu à essuyer une humiliation, une brimade, une marque de mépris, ou à subir une forme d'exclusion.

– Tu exagères, lui disait Denis, tu inventes… D'ailleurs, ces choses-là arrivent à tout le monde…

Mais, depuis qu'il fréquentait Sarah, il se demandait où était la vérité. Aurait-il à affronter lui-même ce genre de choses ? Que voulait dire Sarah quand elle prétendait qu'une certaine joie de vivre le déserterait ? Il avait lu Kafka, d'autres écrivains juifs… Il les relut et se dit : « D'accord, cela vous enlève la joie de vivre, mais Beckett aussi, qui est irlandais… Je suis sûr qu'il y a des Juifs gais, et, s'il le faut, je serai un Juif gai qui refusera de porter en permanence sur ses épaules le poids de vingt-cinq siècles de persécutions !… Mais le faut-il ? Est-ce mon devoir ? Et vis-à-vis de qui ? Ne vais-je pas faire une peine atroce à Agnès, que je tiendrai toujours pour ma mère bien-aimée, alors que je ne pardonnerai jamais à Sarah ce qu'elle a fait… ? »

Denis suspendit momentanément ses cogitations, le temps de préparer et passer un examen qu'il réussit sur le fil du rasoir. Marie l'avait réussi, elle aussi. Un petit dîner de fête organisé par Agnès Sérignac célébra ce double succès.

Agnès se faisait un sang d'encre pour son garçon depuis qu'il s'était découvert une mère naturelle. Comme il n'en soufflait jamais mot, les Sérignac ne lui en parlaient pas non plus. Alba pleurait à la cuisine. Il prenait quelques repas en coup de vent, mais le plus souvent ne rentrait pas dîner.

À l'occasion de leur succès à l'examen, Agnès voulut tenter un coup d'audace : elle lui proposa d'inviter « madame Berger ». Elle tomba sur un mur :

– Non, ne fais pas ça, en aucun cas !

— Enfin, lui dit Agnès, il faut bien qu'un jour nous fassions connaissance !

— Un jour…, lâcha Denis. Ce jour-là, je te le dirai.

Que les deux compartiments de sa vie puissent communiquer lui faisait manifestement horreur ; l'idée qu'ils ne soient pas étanches, que des deux Denis, l'un doive finir par tuer l'autre, le ravageait. Mais auquel allait-il donner cette autorisation ?

4

Marie habitait un studio dans le sixième arrondissement, où Denis venait la retrouver. C'était une gosse de riches, de riches divorcés qui l'avaient toujours négligée tout en la couvrant de cadeaux. Elle s'était attachée à Denis avec une intensité qui effrayait parfois un peu le garçon. Mais il m'a confié que, pendant les semaines difficiles qui ont suivi, c'est grâce à elle qu'il n'a pas craqué.

Il m'a raconté qu'il ne pouvait plus rencontrer un miroir sans s'examiner pour voir s'il présentait les caractéristiques physiques du Juif!... Marie lui a dit que ça n'existait pas, sauf dans la littérature nazie, et que l'archétype juif était le Christ... En général, les gens ont horreur qu'on leur dise ça, mais ça lui a fait du bien.

C'est Marie qui lui a donné le courage de révéler à ses parents que sa mère naturelle était juive, ce qui a paru leur être indifférent. En fait, ils souffraient de le voir malheureux devant cette identité nouvelle qu'il lui fallait assumer et dans laquelle, à l'évidence, il n'entrait pas facilement. Il finissait même par en faire une montagne, à cause des discours que lui avait assenés Sarah. « Tout à coup, m'a-t-il dit, j'ai pris conscience que je me conduisais comme un persécuté en puissance ! Je perdais les pédales ! »

Il annonça sans précaution à Marie qu'il abandonnait le droit et ne réintégrerait donc pas la faculté à la rentrée suivante.

– Je suis vieux, j'ai cinq mille ans, maintenant ! Je ne suis plus en âge d'aller à l'école…

– Je te signale que, depuis cinq mille ans, les Juifs mettent l'instruction au-dessus de tout, lui rétorqua Marie.

Il informa également ses parents de sa décision. S'ils furent déçus, Agnès et Romain Sérignac n'en montrèrent rien. Mais ils s'inquiétèrent de ce que Denis allait faire.

– Je vais travailler, comme tout le monde, leur répondit Denis. Je cherche un job qui me prenne la tête…

Il atterrit dans une organisation humanitaire où la sélection entre les candidats était sévère. On trouva ses qualifications inexistantes, ses motivations indécises. Il était seulement manifeste qu'il voulait fuir, sans dire quoi, d'ailleurs. Classique, mais l'humanitaire n'est pas une annexe de la Légion étrangère, mon vieux. Désolé… Il fut refoulé.

C'était la première fois qu'une telle chose lui arrivait, et il en fut mortifié au point de ne pas oser s'en ouvrir à ses parents. Il ne l'avoua qu'à Marie.

– Nous vivons dans une société où il faut être qualifié même pour torcher le cul des enfants noirs ! lui dit-elle. Tu ne vas tout de même pas faire mine de le découvrir ! Qu'est-ce que tu sais faire, à part te tenir à table ?

Elle était devenue méchante, parfois, agacée par cette fragilité dont Denis faisait montre.

– Je sais très bien l'anglais, l'espagnol plutôt bien, je me débrouille en allemand, je sais ce qu'on apprend en trois ans de droit – rien de très opérationnel... Je suis bon skieur, bon nageur, bon marin, je sais faire des spaghettis... Que veux-tu que je te dise de plus ? Ah oui ! Je sais distinguer un Manet d'un Monet, et un Carpaccio d'un Caravage. Pas très utile tous les matins, j'en conviens, Madame le Sergent recruteur...

– Ne crie pas ! J'essaie de t'aider...

Mais il était à vif, comme vous l'êtes quand vous vous sentez responsable de ce qui vous arrive de mauvais.

– J'étais heureux, privilégié, aimé, confiant dans l'avenir. J'ai tout gâché en allant me dénicher une mère folle, et maintenant je prétends travailler sans le moindre de ces diplômes, si sacrés en France ! Si l'on ne veut même pas de moi au Rwanda ou en Sierra Leone, bon, je file aux États-Unis ! Là, il y a toujours à faire pour quelqu'un qui est armé d'un peu de courage...

Denis a fait ce qu'il disait. Le temps d'obtenir un visa, de réunir un peu d'argent en vendant tout son matériel informatique, il a pris le vol le plus économique en direction de New York.

Avant de partir, il est venu embrasser Agnès et lui dire : « Ne pleure pas, surtout ne pleure pas ! J'ai besoin d'air, mais je t'aime plus que jamais. » Puis il a rendu visite à Sarah qu'il s'était astreint à voir une fois par semaine, pour lui dire : « Ne pleure pas. Tu es la première personne au monde à m'avoir fait du mal. Maintenant, c'est mon tour. Je pars et j'espère ne jamais revenir. »

Marie a accompagné Denis à l'aéroport dans sa petite voiture. Elle lui a déjà dit ce qu'elle pensait de sa décision, qu'elle approuvait tant il lui paraissait important que, dans la situation où il se trouvait, « agi » par les autres, lui-même se décide à passer à l'action. Elle n'en éprouvait pas moins un lourd chagrin de le voir s'éloigner sans même avoir dans l'immédiat une adresse e-mail à lui donner.

5

La beauté de Sarah Berger s'est altérée depuis que Denis a fait cette entrée pour le moins abrupte dans sa vie. Elle a perdu le sommeil. Elle carbure aux tranquillisants, en alternance avec des excitants pour rester capable de travailler. Ce qui, pour elle, avait été une joie fugace et déchirante est devenu une plaie ouverte. Le refus obstiné opposé par Denis à toute familiarité, à toute effusion qui eût été pourtant si naturelle, cette façon cérémonieuse de la tenir à distance comme s'il craignait de la toucher, la laissent désarçonnée.

On imagine bien qu'elle a eu l'occasion de s'interroger sur son geste, longtemps encore après l'avoir commis, mais pour s'en exonérer entièrement. C'est à elle qu'elle avait fait du mal, et quel mal ! Ce n'était pas à l'enfant, au contraire !… Plus que jamais les événements internationaux et leurs répercussions continuent de lui donner raison. Dans une agence de publicité amie, dont le patron est un Juif très connu, des lettres anonymes, d'insultes ou de menaces, arrivent après avoir longtemps disparu. Elle en a montré deux spécimens à Denis pour qu'il comprenne, pour se disculper, pour qu'il reconnaisse que son geste avait été un geste d'amour. Mais il est à l'évidence incapable de l'admettre. « Des lettres de cinglés, a-t-il dit. Laisse tomber ! » Il la déroute.

Certains jours, il déclare avoir envie d'étudier le Talmud, de pénétrer la pensée juive, l'histoire juive ; la semaine suivante, il se livre aux pires plaisanteries antisémites et s'esclaffe, sûr de la décontenancer.

Son départ va la soulager de ces visites hebdomadaires où tout, entre eux, sonne faux. Comme elle les a attendues, cependant !...

Elle était assez lucide et au fait de la mécanique humaine pour déceler l'ambiguïté de Denis quand il lui exprimait sa rancune d'avoir été abandonné. Mais est-ce bien cela qu'il ne lui pardonnait pas ? ou le fait de l'avoir fait renaître juif ? Qui pourrait dire merci pour un pareil cadeau ?

Mais enfin, ce n'était pas elle qui était venue le chercher...

Maintenant, les choses étant ce qu'elles étaient, il aurait fallu qu'ils apprennent à vivre ensemble en se blessant réciproquement le moins possible. Elle y avait été attentive. Lui semblait au contraire se délecter quand il trouvait le mot bon pour la faire souffrir...

Un jour, désemparée par cette attitude, Sarah Berger s'était jetée à l'eau : elle avait demandé un rendez-vous à Agnès Sérignac qui la reçut dans le grand appartement professionnel qu'elle partageait avec deux confrères. Son bureau était fonctionnel, froid, violemment éclairé. Sarah, qui s'attendait à être accueillie autour d'une tasse de thé dans un intérieur bourgeois un peu vieillot, en fut déstabilisée.

Mme Sérignac, gros chignon, visage nu, twin-set gris, toute menue, ne ressemblait pas non plus à l'idée qu'elle s'en était faite. De son côté, Agnès enregistra d'emblée la grâce de Sarah que Denis avait un jour furtivement évoquée. Les deux femmes mirent néanmoins toute leur application à feindre de ne pas se dévisager.

Sarah s'était préparée à parler de Denis, à demander conseil à celle qui le connaissait le mieux, sur la meilleure attitude à adopter avec ce fils qu'elles avaient en commun. Elle voulait dire aussi à Agnès que si le bonheur de Denis était là, elle était prête à rentrer dans l'ombre, le cas échéant à quitter Paris pour que Denis recouvre sa gaieté, son insouciance dont elle l'avait bien malgré elle dépouillé. Était-ce souhaitable ? Devait-elle s'éclipser ? Elle eut du mal à s'exprimer.

Peu à l'aise, réfugiée derrière un téléphone qui ne cessait de sonner, Agnès fut cependant attentive, très professionnelle, très avocate recevant une nouvelle cliente et la jaugeant ; mais elle se protégeait ainsi du charme de cette inconnue qui avait tourneboulé son fils. Elle décida qu'elle ne l'aimait pas, mais que personne, pas même Romain, n'entendrait cette confidence. On sait son devoir. On a aussi le droit d'avoir des sentiments.

Elle dit :

– Nous aurions dû nous rencontrer plus tôt. Mais Denis n'a pas voulu...

Après une nouvelle sonnerie du téléphone, elle conclut qu'il fallait se revoir, mais pas ici, et dit rapidement :

– Denis part aux États-Unis, c'est une bonne décision... Cela vous laissera en tout cas le temps de réfléchir à vos relations futures...

Bref, rien de ce que ces deux femmes auraient eu à se dire et qui leur tenait aux tripes n'avait été dit. Elles étaient beaucoup trop bien élevées.

Le départ de Denis laissait les Sérignac sereins. Tristes d'être séparés de leur garçon, mais confiants en sa santé physique et morale pour ressaisir le fil de sa vie.

Agnès et Romain s'étaient interrogés l'un l'autre : quelque part, avaient-ils été coupables, et de quoi ? La réponse était non, en toute conscience.

Croyante, Agnès avait élevé son fils dans la tradition catholique – catéchisme, communion – mais, depuis longtemps, il ne l'accompagnait plus à la messe et elle ignorait où il en était avec Dieu. Elle se prit à penser en souriant que c'était une bonne question à lui poser par *e-mail* dès qu'elle pourrait lui écrire.

6

Ça y est, j'ai loué à Londres. Un loft parfait. Moi, Bess –
vous vous souvenez ? Je vous ai parlé de mes intentions.
Denis est d'abord venu me voir méfiant comme un chat,
traversant une crise d'angoisse où même moi, je faisais figure
d'agent de l'ennemi, et puis il s'est calmé et nous avons
retrouvé nos relations de confiance et d'amitié.

Il m'a dit que je lui avais manqué et je le crois, car c'est un
véritable exercice thérapeutique auquel il se livre en me
racontant son étrange histoire. Nullement une psychanalyse,
mais une façon de mettre de la cohérence dans un désordre
avec l'assurance de n'être pas jugé.

Donc, il a passé près d'un an aux États-Unis au début de l'ère
Reagan. De petit boulot en petit boulot – que l'on trouve
toujours là-bas et qui ne déshonorent personne –, il a vécu, il a
appris, il s'est endurci, ce dont il avait besoin. Puis, aidé par sa
maîtrise de l'anglais et de l'espagnol, acquise pendant son adoles-
cence – merci, maman, merci, papa ! –, il a réussi à décrocher un
job fixe dans une galerie d'art très cotée, celle de Leo Castelli.

– Un bonhomme épatant, dit-il, assez âgé, sourd mais
encore fringant, qui m'a complètement formé en matière

d'art contemporain. Chez lui, j'ai connu beaucoup de monde, rencontré les meilleurs artistes. J'étais la cinquième roue du carrosse, m'occupant un peu de tout, mais il était bon avec moi. J'avais trouvé une chambre dans un appartement partagé avec deux autres garçons, qu'on balayait à tour de rôle. J'ai vécu à l'américaine, autour du Frigidaire ; alimentation déprimante pour un Français, mais on apprend à ne plus y penser. Des parties où on boit tout de suite trop, et ensuite c'est le crack, l'ecstasy et le reste – mais là, j'étais vacciné ! Filles hardies à la pelle, mais aucune ne m'a jamais vraiment accroché plus de quarante-huit heures. Un jour de cafard, je ne sais pas ce qui m'a pris, j'ai essayé de joindre mon père. Le vrai... À l'université, on m'a donné son numéro personnel. Je l'ai appelé. Voilà ce que ça a donné :

« – Allô, Michael Stern ? Je suis Denis Sérignac, votre fils. J'aimerais vous rencontrer.

« – Vraiment ? Eh bien, moi pas ! Au revoir, monsieur Sérignac. »

« Je l'ai pris dans l'estomac, comme on dit.

« Et puis, la chance m'a souri. Un jour, une femme s'est présentée à la galerie, portant une toile du XVIIIe, apparemment : le portrait d'une marquise qu'elle voulait vendre d'urgence. La pièce était médiocre et ce n'était pas notre genre. Elle insista et se mit à raconter une histoire vaseuse. Castelli s'éclipsa et me fit signe d'évacuer la visiteuse. Dans ce qu'elle avait narré avec un accent barbare, j'avais retenu un nom qu'elle avait laissé tomber. Je lui fis répéter son histoire. En bref, elle disait que cette marquise avait été envoyée pendant la guerre à un Hongrois de New York par son frère, le baron Krutz, qui lui avait écrit en même temps : "Surtout, garde ma marquise. Elle a un destin caché." Mais le frère était mort, le baron aussi, et maintenant elle avait besoin d'argent.

Je connaissais de nom le baron Krutz, grand collectionneur de Budapest, dépouillé de tous ses biens, puis assassiné par les Allemands. Cette marquise était une œuvre médiocre, peut-être la copie d'un petit maître. Quel rapport pouvait-il y avoir entre les deux ? Cela m'intrigua assez pour que je décide d'acheter la toile en la marchandant sauvagement. Savez-vous, Bess, ce que l'on trouva en dessous, après l'avoir auscultée ?

Je m'en souvenais : c'était un Cézanne, un petit Cézanne. L'affaire avait fait du bruit dans le milieu, car ladite marquise avait été proposée à plusieurs galeries. On vanta le flair de Castelli. Je venais d'apprendre qu'il s'agissait du flair de Denis Sérignac, son commis en quelque sorte.

– Castelli a gardé le Cézanne. Plus tard, quand j'ai eu de l'argent, c'est la première chose que j'ai voulu acheter. « Vous êtes fou, m'a-t-il dit. C'est trop cher pour vous, beaucoup trop ! » Il m'a vu si dépité qu'il a ajouté : « Alors, je vais vous le donner. Après tout, c'est vous qui l'avez gagné. » C'était un type pas ordinaire…

« Et puis, poursuivit Denis, le père Noël s'est présenté. Castelli m'a demandé ce que je comptais faire de ma vie. J'ai répondu que je n'en savais rien, mais qu'après ce temps vécu auprès de lui je me consacrerais volontiers au commerce d'art. Il m'expliqua alors que l'un de ses collègues, propriétaire d'une grande galerie à Londres, très âgé, voulait se retirer et cherchait un collaborateur jeune, dynamique et compétent pour prendre sa suite. "Il avait un fils qui s'est tué sur un circuit automobile. Il est en train de prospecter en Europe. Si vous voulez, me dit Castelli, et si vous savez lui plaire, ce sera vous. Il me fait confiance."

« J'ai su, probablement, puisque, trois mois plus tard, j'étais intronisé à Londres. Castelli avait eu la bonté de se porter garant pour moi. Une petite réception, à laquelle assistait le gratin de ce monde particulier qui gravite autour de l'art, servit à nous présenter l'un à l'autre. De passage en Europe pour aller à la foire de Bâle, Castelli était présent. J'ai surpris cet échange entre lui et mon nouveau patron, en somme. Lui : "Est-ce que votre protégé est juif ?" Castelli : "Je ne crois pas... Son nom est français. Mais je n'en sais rien. Ça vous dérangerait ?" Lui : "Pas du tout. C'était seulement pour savoir..."

« Le Diable me rattrapait... Dans un mouvement inconsidéré, je faillis prendre la porte. Mon cœur battait comme si on m'avait surpris à dérober un portefeuille. Je me repris en pensant que le Juif allait montrer à cette bande de snobs de quoi il était capable.

« Comme vous le savez, ma démonstration a été impeccable. La galerie est aujourd'hui la première de Londres en chiffres comme en prestige. Et, en mourant, mon vieux patron reconnaissant m'a fait son héritier, ce que l'on peut faire en Grande-Bretagne avec beaucoup moins d'histoires et d'impôts qu'en France. De sorte que, de surcroît, j'ai de la fortune, ce qui n'a jamais gâché une réputation, et, dans mon coffre, trois Francis Bacon inconnus que le peintre ne voulait pas voir exposés avant 2010…

– Fichtre ! Décidément, tout le monde veut vous traiter en fils ! ai-je lâché. Oh, pardon… Ce que je dis là n'est pas drôle !

– Si, reprit Denis. J'ai le profil « fils que l'on voudrait avoir » ! À trente-cinq ans, il serait temps que je m'en trouve un autre. Les pères vont se faire rares !

– Vous lui avez dit, à un moment donné, que vous étiez juif ? Quand il a fait de vous son héritier, par exemple ?

– Vous posez une bonne question. J'ai remarqué que lorsqu'on est juif, vient toujours un moment où l'on se demande si l'autre sait, et s'il faut le lui dire. C'est tuant ! Pourquoi faut-il se poser des questions pareilles, que l'on ne se pose même pas quand on a le sida ? Oui, je le lui ai dit, par correction, car cela pouvait le faire se raviser… Mais il m'a répondu avec le plus pur accent des collèges anglais, et cet air inimitable de pudeur dégoûtée qu'ont les Anglais quand on aborde une question personnelle – il m'a répondu : « Moi aussi. » Et il a ajouté : « Pourquoi ne me l'avez-vous pas dit plus tôt ? » J'ai rétorqué que ce serait un peu trop long à raconter, mais que, pour des raisons singulières, je ne me pensais pas juif. J'oubliais…

Denis se leva pour remplir nos verres. J'avais déjà beaucoup bu. Il reprit, soudain agressif :

– Et vous, Bess ? Vous vous vantez ? Vous vous excusez ? Vous dissimulez que vous êtes juive ? Vous l'oubliez, parfois ?

J'ai réfléchi avant de répondre :

– Je me vante quand on me marche sur les pieds, je ne m'excuse jamais, je ne peux pas oublier. Mon père est mort d'une façon atroce, pendu à un crochet de boucher après avoir été émasculé. Comment pourrais-je ne pas me souvenir que j'appartiens à une fraction de l'humanité abandonnée par Dieu ?

– Les bons Juifs n'aimeraient pas vous entendre proférer un tel sacrilège, il me semble…

– Je me fous des bons Juifs ! Je n'ai rien à en faire, sauf à leur vendre de la peinture.

– Abandonnée par Dieu… Vous le sentez comme ça, vous aussi ? Je comprends pourquoi nous nous entendons si bien, vous et moi…

Il s'arracha à son fauteuil.

– Allez, on va écouter un peu de musique ; on m'a promis un nouveau saxo génial au *Golden Boy*…

À quelle heure Denis dormait-il donc ? Le matin, il était à la galerie dès huit heures…

Pendant qu'il remplissait à nouveau nos verres de chivas, j'ai prudemment essayé d'entrer dans le champ interdit de sa vie privée. Et j'ai demandé des nouvelles de la belle Anglaise au chignon blond avec laquelle j'avais dîné.

– Nous nous sommes séparés, répondit Denis. Elle était devenue folle.

– Folle, comment ?

– C'était après l'héritage. La fortune qu'elle me supposait – à juste titre, d'ailleurs – lui était montée à la tête. Elle voulait que j'achète un château. Un château, moi, vous vous rendez compte ?! Qu'est-ce que j'ai à foutre d'un château ? Elle voulait donner des bals, recevoir… C'est intéressant de voir ce que l'argent fait des gens. Enfin, c'est intéressant pendant une huitaine de jours... Je l'ai larguée.

J'ai essayé de pousser mes pions :

– Et Marie ? dis-je. Vous la voyez quelquefois ?

– Oui, quand je suis à Paris. Elle est devenue quelqu'un d'important. Elle a un fils qu'elle a appelé Denis.

Je dis adieu à toute prudence :

– C'est votre fils ?

Denis parut interloqué.

– Mon fils ? Mais non, quelle idée ! C'est impossible...

J'ai freiné des quatre roues :

– Pardon, j'ai dit cela sans réfléchir, c'est idiot. Je bois trop, voilà, je bois trop... Mais je vais vous débarrasser de moi pendant quelque temps. Mon médecin exige que je fasse une cure de désintoxication... Ce pour quoi, ce soir, j'enterre ma vie de pocharde...

– Je vais vous apprendre quelque chose que vous ne savez peut-être pas, exposa Denis. La désintoxication n'est pas une affaire de volonté, comme on le répète bêtement. C'est une affaire de désir. Vous allez être le théâtre de deux désirs antagonistes : boire et cesser de boire. Il faut que le second soit plus fort que le premier, c'est tout le problème... Je vais vous donner quelque chose pour vous aider. Quand vous aurez envie de boire, vous le caresserez et vous penserez à moi, à ce que je viens de vous dire : les deux désirs...

Il s'approcha d'une étagère faiblement éclairée où se trouvait ce qui apparaissait comme un fouillis de cailloux, en choisit un et le mit dans ma main.

Mes yeux verts, fatigués par l'alcool et la fumée, s'emplirent de larmes. C'était une cyclade. J'ai fourré le précieux petit morceau de marbre dans mon sac. L'émotion me privait de parole.

– Allez, allez, dit Denis, pas d'attendrissement ! La soirée ne fait que commencer !

7

Agnès et Romain Sérignac allaient passer à table pour dîner lorsque la sonnette retentit à la porte de façon frénétique.

– Denis ! s'écria Agnès. C'est lui qui sonne !

Alba avait également reconnu la patte du maître et se précipitait. Denis distribua des baisers à la ronde, se laissa sermonner sur sa petite mine – mais quelle idée aussi de laisser pousser cette barbe ! – et se réjouit de humer le fumet délicieux du pot-au-feu d'Alba.

Il annonça qu'il était là pour quelques jours et qu'il comptait les voir beaucoup.

– Si tu arrives à voir ta mère, tu as de la chance ! soupira Romain. Moi, je n'y arrive plus.

Il avait pris sa retraite, écrivait de temps à autre dans une bonne revue, et jouissait pleinement de loisirs neufs qu'il savait occuper. Agnès, en revanche, submergée de clients, rentrait le soir de plus en plus tard et passait les week-ends le nez dans ses dossiers. Ce décalage était devenu un rituel sujet de plaisanteries avec leurs amis. « Agnès se tue, disait Romain en feignant la soumission. Mais qui est capable de faire obéir une femme de cinquante ans ? C'est l'âge terrible ! – Tu es bien content qu'on puisse s'offrir de temps à autre un peu de peinture… », répondait-elle, feignant de se sacrifier à la marotte de son mari.

Denis était heureux de les voir, à peine vieillis, se taquinant, s'affrontant parfois vivement, si loin de s'ennuyer ensemble, et toujours passionnés de politique. Bien des choses les heurtaient chez Mitterrand dont le mandat venait d'être triomphalement reconduit : moins sa politique que cette inclination qu'il semblait avoir pour les Tapie et consorts. Mais l'histoire familiale de Romain, fils d'un magistrat sanctionné pendant la guerre d'Algérie parce qu'il avait dénoncé la torture, petit-fils d'un résistant de la première heure fusillé par la Milice, l'avait écarté à tout jamais de la droite. La première fois que Denis avait voté, à dix-huit ans – « grâce à Giscard », rappelait Agnès pour agacer son mari –, il avait subi un véritable cours magistral sur les devoirs et responsabilités de l'électeur. Depuis, il avait été un mauvais citoyen, mais il se trouvait quelques excuses : les péripéties de sa vie personnelle ; ses longs mois passés hors de France ; plus tard, l'impression d'être un imposteur en se réclamant d'une histoire familiale héroïque qui n'était pas la sienne, mais dont Romain continuait à le faire l'héritier…

Mais, chez les Sérignac, on ne se débarrassait pas de la politique comme cela, et maintenant que Denis préférait décidément Londres à Paris, puisqu'il s'y incrustait, il fallait qu'il explique un peu ce que le peuple anglais trouvait à Margaret Thatcher.

— Elle fait le ménage, répondit-il. Ils étaient en train de crever, asphyxiés par leur propre poussière. Mais, à force de les décaper, on se demande bien ce qui va en rester...

Agnès voulait aussi l'entendre sur l'état de ses affaires : où en était-il de ses projets d'acquisition ? Quand ramènerait-il son centre d'activité à Paris ?

Bref, un fils aimant bavardait avec ses parents ; rien que de très ordinaire, mais aussi de très doux. Mais, en même temps, de factice.

Denis avait beaucoup changé au cours de ces dernières années. La réussite professionnelle avait consolidé sa confiance en lui, mais, simultanément, il ne savait plus qui il était. S'être découvert des grands-parents qui n'étaient pas français l'avait troublé presque autant que d'être juif. Romain l'avait élevé dans le respect de certaines valeurs auxquelles la famille Sérignac avait toujours été attachée ; l'amour de la France en faisait partie. C'est lui qui ne faisait pas partie de la France. Mais alors, il faisait partie de quoi ? S'il avait bien vécu ces années d'exil aux États-Unis et en Grande-Bretagne, c'était clairement, il l'avait compris, parce que, là, il était normal qu'il soit l'Étranger. Alors que se sentir étranger en France lui était odieux.

Il en avait longuement débattu avec Bess qui comprenait ces choses-là. Elle lui avait dit :

— Si vous souffrez d'être l'Étranger, allez vivre aux États-Unis. C'est le seul pays où tout le monde en vient, de l'étranger. Mais, à votre place, j'évacuerais cette façon d'être malheureux. Vous en avez bien assez d'autres. Pourquoi vous sentiriez-vous étranger en France où vous êtes né, où vous avez grandi ? Dont vous êtes un produit culturel achevé ?

– Probablement parce que mes racines biologiques sont ailleurs.

– Foutaises ! Vous n'avez pas de racines biologiques ! Elles sont à Auschwitz… Allez, Denis ! Faites face, que diable !

Bess l'avait sérieusement secoué.

Il voyait quelquefois Marie, quand il passait par Paris, et, comme elle déplorait ce long exil qui les avait séparés, il lui fit à elle aussi son numéro sur l'Étranger qu'il était devenu en France. Elle se moqua de lui :

– Toi, l'Étranger ? Tu es français jusqu'au bout des ongles, pour le meilleur et pour le pire ; c'en est même drôle, quelquefois… Tu le sais bien, que tu es la copie de ton père… je veux dire de Romain Sérignac.

Ainsi bousculé par les deux femmes auxquelles il faisait confiance, Denis avait remisé – en tout cas pour un temps – le fantasme de l'Étranger sans racines.

Au point où il en était de sa vie, adossé à une situation matérielle qu'il n'avait jamais convoitée, son intention était de la consolider, bien sûr, avec tous ses agréments, et d'abord la liberté qu'il en tirait, mais il avait bien autre chose à faire. En premier lieu, sa pénitence avec Sarah.

Pendant ces années d'absence où s'était construite sa vie professionnelle, il avait gardé un contact épistolaire avec elle, mais sans jamais la revoir. Puis, la conscience lui était venue de sa propre cruauté. Les quelques situations où, s'étant revendiqué juif, il avait senti un impondérable rideau tomber entre lui et les autres, l'adhésion à un club très fermé qu'on lui avait refusée malgré un parrainage flatteur, certains incidents du même style qui s'étaient ainsi produits l'avaient rendu plus compréhensif à l'égard des obsessions de Sarah. Elles étaient névrotiques, elles déformaient certes la réalité, mais on ne pouvait les dire imaginaires ; être juif n'était pas une sinécure !

Quand Denis eut accompli ce trajet dans sa réflexion sur sa relation avec sa mère, il décida de la revoir et de tenter ce qui, six mois plus tôt, lui aurait fait horreur : vivre avec Sarah, autrement dit assumer tous les jours son obsession pour lui apprendre à s'en délivrer – à vivre paisiblement son état, *leur* état. Tel était son projet : emmener Sarah à Londres, la couper de ces vieilles tantes confites dans leurs souvenirs, la mettre au golf, accessoirement à la galerie où elle pourrait se révéler précieuse. S'il réussissait cela, Denis se sentirait vraiment utile. « C'est réalisable en Grande-Bretagne où il n'y a jamais eu ni affaire Dreyfus, ni camp de Drancy, et où le Premier ministre préféré de la reine Victoria fut Disraeli, se disait-il. Là, Sarah pourra cesser d'avoir peur pour moi. C'est la seule chose que je puisse faire pour elle. Et même, je le lui dois ! »

Il s'annonça chez Sarah par des fleurs : « Je suis à Paris. Je passerai te voir vers cinq heures. Préviens au Lancaster, si cela ne te convient pas. » Elle aurait décommandé le roi de Prusse pour se rendre libre ! Mais sa vie était depuis long-temps assez creuse, bien qu'elle fût une femme encore fort désirable. C'est elle qui sécrétait sa solitude, parce qu'elle n'avait plus de désirs.

Elle vérifia s'il y avait bien à la maison les boissons souhai-tables : Denis tenait au chivas, mais, quelquefois, il goûtait le daiquiri ou la vodka. Elle se rappela qu'il la détestait en dentelles et enfila pantalon et chandail noirs. En l'attendant, elle imagina tout ce qu'il était capable de lui dire d'agréable ou de blessant – il jouait toujours simultanément les deux cordes.

En arrivant, il la prit dans ses bras, la souleva de terre comme une petite fille, l'embrassa plus tendrement qu'il ne l'avait jamais fait, puis se laissa tomber sur le canapé de velours et réclama à boire.

– C'est idiot de rester si longtemps sans se voir, dit-il. On va changer tout ça ! Qu'est-ce que tu dirais de venir habiter Londres avec moi et de m'aider à la galerie ? Tu dis oui ou non ?

Sarah, éberluée, restait muette.

– Tu dis oui ou non ? Parle, Sarah, c'est important !…

– C'est oui, répondit-elle. Bien sûr… Mais ne te moque pas : tu plaisantes, ou quoi ?

Denis se récria. Jamais il n'avait été plus sérieux. Pourquoi s'y prendre si tard ? Parce qu'avant, il n'était pas libre d'arrêter de telles décisions.

– Tu verras, lui dit-il, ma maison est grande, nous y vivrons très bien. Ta présence me préservera de laisser une femme s'y installer. La galerie est à deux pas ; quelqu'un la tient dans la journée, quand je suis absent. J'aimerais que tu t'occupes vraiment des contacts avec les clients ; t'en sens-tu capable ?

– Je crois, dit Sarah, mais je suis un peu rouillée en matière d'art contemporain…

– Je te dérouillerai ! sourit Denis. On va aller partout : à Venise, à Bâle, à New York, on va bien s'amuser, tu verras !

Tu as envie qu'on s'amuse ? Il me semble que nous l'avons bien mérité, tous les deux…

Submergée par l'émotion qui l'avait lentement gagnée, Sarah s'abattit sur la poitrine de Denis. Il l'étreignit. C'était la première fois depuis ce jour étrange où la mère et le fils avaient fait connaissance.

Quand Denis me raconta cette scène, j'étais convalescente, à l'issue de ma cure, dans une maison de repos près de Londres.

Affectueux comme toujours, il avait pris deux heures pour venir me voir. Je lui posai cent questions, je voulais tout savoir, comment s'était passée la transplantation de Sarah en Angleterre, comment marchait leur « ménage » ; surtout, avait-il trouvé dans cet arrangement un peu d'apaisement dans la culpabilité qui l'étouffait vis-à-vis de Sarah ?

– Oui, m'a-t-il confié. De ce côté-là, je vais mieux. Vous m'avez bien conseillé, Bess, et je vous en sais gré.

– C'est toujours facile de voir ce qui est bon pour les autres…

– Je vous le rendrai en vous disant ce qui va être bon pour vous, maintenant.

– Ne cherchez pas : c'est l'eau minérale ! J'aimerais connaître Sarah Berger ; est-ce possible ?

– Bien sûr. C'est une femme très agréable, vous verrez, quand elle veut bien oublier l'existence du peuple juif…

– Reconnaissez qu'en ce moment elle a des excuses. L'assassinat d'Yitzhak Rabin est une chose effroyable. Et il y en aura d'autres…

– Taisez-vous ! la coupa Denis brutalement. Vous avez peut-être raison, mais je ne veux pas tomber dans la prophétie de malheur ni dans la prise de température quotidienne de l'antijudaïsme à travers le monde. Je ne veux pas vivre ainsi ! Ce n'est pas mon problème. Le réchauffement de l'atmosphère terrestre aussi, ça existe, c'est grave, mais ce n'est pas non plus mon problème, et je ne veux pas qu'on m'embête avec ça ! Israéliens et Palestiniens sont condamnés à vivre ensemble. Ils auront beau assassiner Sadate, assassiner Rabin, leurs extrémistes feront échouer, comme ils l'ont déjà fait, toutes les tentatives de rapprochement, mais la raison finira par l'emporter.

– Comment en êtes-vous si sûr ? Les intérêts composent toujours, c'est vrai, mais pas les passions…

– Y a-t-il des actions concrètes auxquelles je pourrais aider ? Puis-je utilement financer ceci ou cela ? Je souscris immédiatement ! Ainsi que vous le savez, comme tout bon Juif, je verse dix pour cent des revenus aux institutions juives à la seule condition que cet argent soit consacré à l'instruction. Pas à la lamentation !

Je le regardai, étonnée par cette violence soudaine, mal ciblée, me semblait-il. Mais j'ai commencé à saisir, ce jour-là, que Denis était en proie à une nouvelle difficulté. Il avait endossé son identité juive, et même, à travers un certain nombre de lectures auxquelles il s'était attaché, il avait découvert l'existence d'un trésor culturel, fait de savoir et de sagesse que l'on pouvait passer des années à explorer. Il s'était d'ailleurs promis de le faire systématiquement. C'était grisant comme un nouveau continent. Il avait noué des relations espacées, mais qui l'avaient emballé, avec des disciples de Levinas, le philosophe ; il avait humblement exposé son cas, le trouble qu'il en retirait, ce sentiment d'être double, donc traître en permanence à l'une ou l'autre de ses identités. En parler à des hommes bons, sceptiques et sages, l'avait aidé. Ils l'avaient orienté vers un personnage qui faisait, avec quelques fidèles, des explications de texte à partir de tel ou tel passage du Talmud. Exercice intellectuel extrêmement pointu, et même vertigineux, chaque explication pouvant être annulée par une autre interprétation.

À sa vive surprise, la première fois qu'il assista à une leçon de ce genre, Denis découvrit qu'il se trouvait avec un médecin, un comédien et un inspecteur des finances. Ce compagnonnage l'intrigua. Ces trois hommes, juifs de naissance, apparemment bien insérés dans le tissu social français, que venaient-ils chercher tous les mercredis dans le Talmud ?

Il s'était lié avec l'un d'eux, le médecin. Denis n'avait en fait jamais fréquenté un homme juif de son milieu et de son âge. Celui-ci, Arno, aurait pu être son double exact. Il s'y connaissait même un peu en peinture ! Il invita Denis à dîner chez lui –, « à la bonne franquette, dit-il : c'est moi qui fais la cuisine... Marie-Blanche est là pour la décoration ». Marie-Blanche était une longue créature parfaitement décorative, en effet, qui se laissait servir sereinement. Quand ils en furent au cigare, elle se retira. Elle n'avait pas prononcé dix mots.

– Elle est toujours comme ça ? demanda Denis, faussement ingénu.

– Oui. Elle a peur de moi. J'ai un problème avec les femmes, confia Arno.

– Qui n'a pas un problème avec les femmes ?

– Oui, mais moi, c'est assez spécial. Je vais vous expliquer…

Arno était drôle, surtout à ses propres dépens. Il divertit Denis avec le récit de ses obsessions et de ses perversions, mais l'arrière-plan de son discours, où se mêlaient une mère castratrice et un père tyrannique, était plutôt sinistre.

– Je ne vous demande pas, dit-il, si vous avez vous-même guéri de vos parents…

– Je suis un cas très particulier en la matière, répondit Denis en riant, mais, pour autant qu'on puisse dire ces choses-là, ma sexualité est affreusement normale… Enfin, je crois !

Il voulut savoir si Arno avait eu à souffrir d'être juif.

– Non, mon père en a souffert, mais on ne m'a jamais embêté avec ça. J'ai eu seulement une obligation de résultats. Si je n'avais pas réussi l'internat, mon père se serait tué, ou m'aurait tué.

Les parents d'Arno avaient une maison en Normandie où ses sœurs et lui passaient souvent le week-end.

– On se déteste, dit-il, mais on ne se quitte pas. Quant à cette maison, si vous la voyiez, vous sauriez tout de suite que c'est un Juif qui l'a fait construire…

– Qu'est-ce qu'elle a de particulier ?

– Elle est en bois ! Un bois spécial que l'on a fait venir du Canada, très beau… Mais tous les éléments sont démontables : en cas de fuite, mon père peut partir avec sa maison sous le bras… Il a poussé jusqu'à l'extrême la recommandation faite depuis des siècles aux enfants d'Israël, de « rester aux aguets », de se tenir prêts à chaque instant à partir en cas de danger...

— C'est un tantinet folklorique, ce que vous me racontez là, observa Denis.

— Répétez cela, et vous me feriez croire que vous n'êtes pas juif, Sérignac ! Sans blague, vous l'êtes vraiment ?

— Il paraît, répliqua Denis avec une pointe de mélancolie.

8

En même temps qu'il commençait à fréquenter des Juifs, Denis s'était mis à les prendre en grippe : Ariel Sharon le premier, mais aussi quelques autres qui, dans son métier, commençaient à évoquer le moment où il faudrait « sauver les meubles ». « Vous comprenez, Sérignac, on ne va pas faire comme en 40, se laisser dépouiller d'abord, et assassiner ensuite... Non, vous ne comprenez pas, vous ne pouvez pas comprendre. » C'était parfaitement vrai qu'il ne pouvait pas comprendre, que personne au monde ne pouvait comprendre ce qu'avait été juin 40, mais il n'en était pas moins délirant de s'y référer sans cesse parce que Israéliens et Palestiniens s'entre-tuaient...

J'avais trop bien connu, moi aussi, cet agacement par rapport à certaines attitudes juives : l'angoisse non motivée, la pointe de paranoïa, le pessimisme systématique ; j'avais trop souvent enragé, avec ma mère qui était protestante, face à mon père dans ses mauvais jours pour ne pas comprendre les réactions de Denis. Je crois que je lui ai rendu service en l'éclairant. Il a d'abord été ahuri, puis il a éclaté de rire en me disant :

— Tu as raison, Bess ! Je n'ai pas du tout réussi encore mon intégration à cette honorable communauté. J'en parle en disant « ils », jamais « nous » ! Mais reconnais tout de même que j'ai fait des progrès !

Il en avait fait, et des meilleurs.

Quelques jours plus tard, il donna un petit dîner pour introduire Sarah Berger auprès de quelques amis anglais. Je me demandais comment il allait la présenter. Il ne fit allusion à aucune parenté. Sarah, élégante, se conduisit en hôtesse éprouvée. Elle avait de l'éducation, ce qui peut toujours servir, surtout en Grande-Bretagne.

Il avait eu une fameuse idée en l'important à Londres. Ses cauchemars ne s'étaient pas dissipés, mais elle n'avait plus peur quand on sonnait le matin à sa porte ; surtout, elle ne fantasmait plus au sujet des persécutions dont Denis aurait immanquablement à souffrir selon elle. En tout cas, elle ne lui en parlait plus.

Entre eux, c'était l'idylle. Laquelle fut brutalement troublée.

Lorsque Michael Stern poussa la porte de la galerie, à Londres, Sarah le reconnut d'emblée. Il était encore beau, avec une expression d'amertume accusée par deux longues rides, et des cheveux tout blancs.

Il y avait aux murs un accrochage de Lucian Freud. Stern feignit de s'y intéresser pour s'approcher lentement de Sarah, surprise par cette apparition, et il lui lança à voix très basse :

— Tu sais qui je suis ?

– Évidemment ! répondit Sarah d'une voix claire. Tu es Michael Stern, et nous avons été mariés pendant quelques années. Qu'est-ce que tu fais ici ?

– Si tu m'accordes une demi-heure, je te le dirai.

– Il y a un bar à côté. Vas-y et attends-moi. Je viendrai dès que je pourrai quitter la galerie.

Michael Stern sortit sans un mot de plus.

Sarah m'a raconté plus tard ce que fut leur entretien. Les deux fils de Stern, deux jumeaux brillants, s'étaient tués en voiture, bourrés d'alcool et de coke. Bouleversé, atteint au plus profond, Stern eut tôt fait de se persuader que Dieu l'avait puni dans ce qu'il avait de plus cher parce qu'il était coupable. Coupable d'avoir déserté son rôle de père avec Denis.

– Tu n'as rien déserté du tout, lui dit Sarah. Qu'est-ce que c'est que cette histoire ? Tu ne l'as jamais vu ni connu !

– Je l'ai entendu, expliqua Stern. Un jour, il y a dix ans, il était à New York, il a réussi à me joindre au téléphone. Ce jour-là, il avait manifestement besoin de moi, il était en perdition. Je lui ai raccroché au nez. Le Ciel m'a puni...

– Tu es devenu mystique, ou quoi ? s'esclaffa Sarah. C'est stupide, ce que tu dis là. Dieu, à supposer qu'Il existe, a mieux à faire qu'à S'occuper des mauvais pères et de leurs enfants.

– Ne blasphème pas, Sarah !

– Et toi, réveille-toi, Michael ! Je ne te reconnais pas...

– Tu es méchante, tu as toujours été méchante...

– Absolument ! Et je le revendique ! Maintenant, j'en ai assez de cette conversation idiote. Qu'est-ce que tu veux ? Pourquoi es-tu ici ?

– Je veux voir Denis.

– Il est absent aujourd'hui. Appelle-le demain à l'un de ces deux numéros, et débrouillez-vous ensemble.

Il prit la carte qu'elle lui tendait, regarda autour de lui et dit :

– Est-ce que des gens sont supposés aimer cette peinture ?

– Ils sont même supposés la payer très cher !

– En tout cas, ce n'est pas de moi que Denis tient ce goût-là.

– Denis ne te doit rien, répliqua Sarah, Rien ! Il est même le contraire de toi sur toutes les coutures !

Et elle le planta là en pensant qu'elle avait menti, que Denis avait exactement les yeux bleus de Michael, et qu'il n'y avait rien de plus irritant que cette trace indélébile d'on ne sait quel gène, parce qu'on avait un jour laissé un homme vous pénétrer pendant cinq minutes.

Elle réintégra la galerie, exaspérée, avec l'impression que toutes ses blessures s'étaient rouvertes ensemble.

9

Denis rentrait à Londres le cœur lourd.

Quelques mois plus tôt, il avait fait un bref séjour à Moscou, persuadé qu'il y avait là de jeunes artistes et de moins jeunes à importer. Il lui paraissait impossible qu'au pays de Kandinsky, de Malevitch, de Chagall, la peinture fût devenue ce que les Russes en montraient, qu'ils se fussent tous châtrés. Il avait obtenu un visa sans difficulté. Encore faiblement, mais de plus en plus, le pays s'ouvrait.

La ville, qu'il connaissait, avait bien changé. Non tant dans son aspect que par le comportement des gens. Ils parlaient plus librement, même avec les étrangers, se plaignaient de tout, et les chauffeurs de taxi vous volaient froidement.

L'attention de Denis fut attirée par un journaliste sur le travail d'un certain Piotr Ivanov, âgé d'une trentaine d'années et doté d'un foutu caractère. Il baragouinait le français, fonctionnait à la vodka, mais il avait assurément quelque chose : une grâce, une force, une invention... Quand Denis vint le trouver dans la chambre misérable qu'il partageait avec un autre artiste, sculpteur, il était trois heures de l'après-midi et il le réveilla en frappant très fort à la porte. Furieux, Ivanov cria : « Foutez le camp ! » Denis n'avait nul besoin de savoir le russe pour comprendre ce qu'il disait. Le sculpteur, heureusement, parlait un peu l'anglais.

Il fallut à Denis une semaine et un véritable interprète pour faire comprendre à Ivanov qu'il était marchand de tableaux, que son œuvre l'intéressait, qu'il l'invitait à venir travailler pendant quelque temps, tous frais payés, à Londres où il serait ensuite exposé.

Ivanov commença par répondre que Londres, il n'avait rien à en foutre. C'est à Paris qu'il rêvait d'aller ; nulle part ailleurs ! Montparnasse, Picasso, Soutine, les surréalistes… Il refusait d'en démordre.

– Cela peut se faire à Paris, finit par concéder Denis. C'est un peu plus compliqué, mais c'est possible.

Ivanov n'était ni un imbécile, ni un ignorant ; il pouvait même être plein de charme quand il n'avait pas bu. Il finit par comprendre que la chance de sa vie se présentait.

Les démarches nécessaires pour le faire sortir furent abrégées par quelques coupures en dollars. Vint le matin où un assistant de Denis chargé de l'escorter put le fourrer, à peu près à jeun, dans un avion.

À Paris, déconcerté et déçu par ce qu'il restait de Montparnasse, Ivanov commença par passer ses journées au Louvre. Denis lui avait loué un atelier et la même escorte fut mise à la disposition de l'artiste caractériel pour le nourrir, le piloter dans la ville quand il voulait sortir, parfois aussi pour lui ramener une prostituée.

Soudain, il se mit à travailler sans désemparer alors que Denis commençait à désespérer.

Pour exposer Ivanov à Paris, comme promis, il avait loué l'hospitalité d'un bon galeriste de la capitale, en échange de quoi il hébergeait à Londres l'un de ses propres artistes.

Quand il se retrouva devant une trentaine de toiles, assez pour faire un accrochage et présenter un peintre, il s'inquiéta :

– Je me suis trompé. Le bonhomme a quelque chose de fort, d'original, mais ce qu'il fait n'est pas abouti.

– Vous trouvez qu'il bâcle ? interrogea le galeriste qui l'accompagnait.

– Ce n'est pas ça. Il ne va pas au fond... il escamote derrière sa maîtrise de la couleur...

Un instant, il fut sur le point de tout annuler, de passer Ivanov par pertes et profits.

Mais il s'était engagé vis-à-vis du Russe ; il lui devait de lui donner toutes les chances de se faire connaître et reconnaître.

Le vernissage à Paris fut donc minutieusement préparé ; les invités, collectionneurs, amateurs, journalistes, soigneusement sélectionnés.

... J'y étais, moi, Bess, qui vous parle. Denis avait su entretenir la curiosité autour de cet Ivanov, pas trop, juste ce qu'il fallait. Il a toujours été un marchand avisé. On ne vend pas un artiste comme on vante un shampooing.

L'accueil fait à ce peintre venu du froid fut sensiblement meilleur que Denis ne l'avait escompté. D'abord, Ivanov, qui parlait maintenant un peu le français, s'était montré disert et charmant. Les journalistes, pas encore saturés à l'époque de révélations sur la période soviétique, trouvèrent que ce survivant du Goulag, où le peintre avait jadis passé deux ans, était épatant.

Et la peinture, dans tout cela ? Trois toiles furent vendues, dont deux à un collectionneur suisse, ce qui n'était pas négligeable.

Bess remarqua que Denis ne paraissait pas aussi satisfait qu'il aurait dû l'être.

— Je reconnais que le climat est bon, disait-il ; mais c'est le succès du personnage au moins autant que de l'œuvre.

Prévenu des ventes, Ivanov bougonna :

— Ça y est ! Le Juif m'exploite !

— Soyez tranquille, il ne vous exploitera pas longtemps, murmura Denis en tournant les talons.

Ce genre de remarques l'écœurait. Ivanov le devina-t-il ? Il devint tout morose.

Soudain, il décrocha l'une de ses toiles, un autoportrait, la jeta à terre et la piétina. Son garçon d'escorte, qui avait l'habitude de ses foucades, le calma et dit :

— Je crois qu'il faut le faire rentrer, maintenant.

Il le prit doucement par le bras ; l'autre se laissa faire.

En attendant que les derniers invités s'en aillent, Denis et le galeriste échangèrent quelques impressions : Denis avait certes eu du flair en repérant Ivanov, mais le Russe ne justifiait pas davantage d'investissements. Le succès du vernissage n'était pas probant.

— De toute façon, dit le Français, rentre à Londres l'esprit tranquille : je te garde ton ours trois semaines !

Denis ne dormait pas encore lorsque le téléphone sonna dans sa chambre du Lancaster. C'était l'assistant d'escorte d'Ivanov. Le Russe lui avait échappé et s'était jeté dans la Seine à la hauteur du pont Alexandre-III. Le temps de donner l'alerte en plein milieu de la nuit... on l'avait repêché mort par hydrocution.

L'assistant sanglotait presque au bout du fil : il l'aimait bien, son Russe, il se sentait coupable.

– Où êtes-vous, maintenant ? Bon. Ne bougez pas, je viens, lui dit Denis.

Ainsi s'était terminé l'épisode Ivanov dont la dépouille, une fois rapatriée, ne fut réclamée par personne.

Le suicide n'est pas rare parmi les artistes. Mais on comprendra que, rentré à Londres après une nuit pareille, Denis n'ait pas été d'humeur à supporter les états d'âme de celui qui s'obstinait à lui répéter : « Je suis ton père... »

Par égard pour Sarah, il n'avait pas reçu Michael Stern à leur domicile. Les deux hommes avaient pris rendez-vous au bar du Savoy, en fin d'après-midi. Le soir même, Denis raconta à Bess leur entrevue, dont il était sorti bouleversé.

– Nous nous sommes tout de suite reconnus, lui confia-t-il. Déjà, cette ressemblance physique que je ne peux pas nier m'a indisposé.

– Ne vous plaignez pas, Denis, vous êtes beau gosse et vous le savez...

– Je ne sais rien du tout, Bess, et cette expression de « beau gosse » me fait horreur ! Je suis comme n'importe quel homme grand aux yeux bleus qui a un bon tailleur.

– Soit. Je retire « beau gosse ». Je suppose qu'avec Michael Stern, vous avez échangé autre chose que des considérations sur la couleur – remarquable, accordez-le-moi – de vos yeux…

– Il s'est jeté sur moi… Il voulait m'embrasser. J'ai suggéré que nous parlions anglais, langue dans laquelle il est plus à l'aise que le français, et qui m'a délivré du tutoiement, qui m'était insupportable… Il a incontestablement vécu une tragédie avec la mort de ses jumeaux. De là à vouloir faire de moi un fils de rechange, un ersatz de fils, les autres étant cassés… Je comprends le mécanisme, mais qu'il aille se faire voir avec ses salades mystiques !… Une fois, il y a dix ans, un jour que j'étais au fond du trou, je l'ai appelé au téléphone, à New York, pour lui dire : « Je suis votre fils Denis. Je voudrais vous rencontrer… » Vous savez ce qu'il m'a répondu ? « Moi pas. Au revoir, monsieur. » Mon père m'a répondu cela !

– Il avait quelques excuses, non ?

– Aucune ! Laquelle ? Une réponse pareille n'a jamais d'excuse. Maintenant, il barbote dans un baragouin métaphysique et il a besoin de réparer l'offense qu'il m'a faite avant de se présenter au Jugement dernier : vous voyez le genre… Un biologiste, vous vous rendez compte ! Et il veut m'emmener chez un rabbin !

– Les grands malheurs ramènent parfois à la religion…

– Ma religion n'est pas la sienne ! répliqua Denis. Agnès m'a élevé dans sa foi. Je mentirais en disant que je l'ai toujours respectée, que je l'ai conservée intacte, ou même que je suis vraiment croyant. Mais ma culture est chrétienne ; dans l'ordre religieux, tout ce qui a imprégné mon enfance et ma jeunesse est chrétien, et le restera. Personne ne m'emmènera jamais faire le singe devant un rabbin !

Denis était manifestement hors de lui. Il marchait de long en large dans la grande pièce où nous attendions Sarah, retenue à la galerie. Avec une amitié dont j'appréciais tout le prix, ils avaient éliminé de ma vue les alcools que généralement ils offraient.

– Qu'est-ce que vous allez faire avec Michael Stern ? demandai-je.

– D'abord, lui interdire ma porte. Je ne veux plus le voir, et surtout je ne veux pas qu'il vienne embêter Sarah. Je sais ce que vous pensez, Bess, mais vous vous trompez. Le père dont tout homme a besoin, je l'ai eu : le meilleur possible ; c'est avec lui et contre lui que je me suis construit.

Le téléphone nous interrompit. Sarah prévenait qu'un client la retenait, qu'elle serait en retard. Denis s'était quelque peu calmé.

– Expliquez-moi, lui dis-je, ce que vous faites, le mercredi soir, quand vous êtes à Paris avec ces talmudistes, si le religieux vous est si étranger…

Il ne savait pas que je savais. Je savais parce que je sais tout de tout le monde : c'est ma spécialité. Il en fut vaguement étonné, mais à peine.

– Nos études ne sont nullement religieuses, répondit-il, elles sont philosophiques. Le judaïsme m'intéresse en tant que morale. C'en est une. C'est quelque chose que j'aime bien, chez les Juifs : le sens moral, l'exigence morale… Je ne sais pas trop d'où elle vient…

— Elle vient du fond des âges. C'est à elle que le peuple juif doit d'avoir survécu à tant de tribulations, de persécutions, de déportations à travers le monde, et d'avoir sauvegardé son âme. Le peuple à la nuque raide… Ma mère, qui était protestante, comme tu sais, aimait les Juifs à cause de ça. Elle en a d'ailleurs épousé un. Le produit est devant toi.

Denis lui mit un baiser au creux de la main.

— Tu es belle, tu sais, depuis que tu as perdu cinq kilos…

Quand il passait avec Bess de l'anglais au français, l'intimité du « tu » l'emportait.

Sarah arrivait en courant, elle jeta son sac sur un fauteuil, fit voler ses escarpins en disant : « Pardon, pardon, je n'en peux plus de ces talons », elle embrassa Bess et souffla à Denis :

— Devine ce que j'ai vendu…

— En tout cas, ç'a été long ! remarqua Denis.

— Long et cher.

— Vendu à qui ?

— À un marchand belge.

— Qui est déjà venu à la galerie ?

— Oui.

— Je crois que j'ai deviné, dit Denis. Tu lui as vendu le Rauschenberg…

— Non.

— Alors, le Klein… Quel prix ?

— Le tien.

— Tu es forte ! Je croyais qu'il ne céderait jamais.

Sarah était à la fois exténuée et surexcitée par son exploit.

– On va fêter ça quelque part ! suggéra Denis. Ce n'est pas tous les jours qu'on passe son père à la casserole et qu'on vend un Klein !

10

Ils n'en avaient pas fini avec Michael Stern. Pour les obliger à l'écouter, le lendemain, il s'incrusta à la galerie. Comment l'évacuer ? Sarah avait peur de lui. Alors Denis essaya, entre deux clients, de lui faire entendre raison par la manière douce. Que voulait-il, à la fin ? On ne peut pas obliger un homme de trente-cinq ans qui ne vous connaît pas à vous aimer : était-il incapable de comprendre cela ?

– Je comprends, je comprends, finit par dire Michael Stern après de longues tergiversations, mais cet homme dont vous dites qu'il ne peut pas m'aimer est mon fils, et je veux que mon fils dise le *kaddish* sur ma tombe. Sinon, mon âme ne trouvera jamais le repos.

– Je ne connais pas le *kaddish*, mais je l'apprendrai et je le dirai sur votre tombe, je vous en fais la promesse, répondit Denis. Maintenant, il faut que vous partiez, que vous rentriez chez vous. Où est-ce chez vous ? À Boston ? Vous avez votre billet ? Le vol est à quelle heure ? Venez, le chauffeur va vous conduire à l'aéroport, il vous aidera s'il y a la moindre difficulté…

En enveloppant Michael Stern d'un flot de paroles, en réitérant à chaque phrase sa promesse, il finit par l'anesthésier et réussit à l'entraîner jusqu'à sa voiture. Avant d'y monter, Stern se redressa de toute sa taille et, revenant soudain au français, lança :

— Souviens-toi de ce que tu as promis, ou le malheur sera sur toi et les tiens jusqu'à la dixième génération !

— Je me souviendrai, acquiesça Denis. Adieu.

Dès qu'il eut rejoint Sarah, il soupira :

— Je me demande comment j'aurais pu oublier une promesse arrachée dans des conditions pareilles ! Il était pathétique, à la fin... Qu'est-ce que c'est au juste, le *kaddish* ?

— La prière des morts, tout simplement.

— Il est vraiment devenu gâteux, le pauvre vieux !

Exit Michael Stern.

Du moins Denis et Sarah le croyaient-ils...

Mais quand, dans le Boeing qui descendait sur Boston, l'hôtesse recommanda aux passagers d'attacher leur ceinture, l'un d'eux resta étrangement immobile. Elle crut d'abord qu'il dormait, lui tapa sur l'épaule. Elle comprit qu'il avait pour le moins perdu connaissance.

En fait, quand tous les passagers eurent évacué l'appareil et que l'on sortit Michael Stern sur un brancard, il était mort depuis plusieurs heures d'un banal accident cardiaque qu'un abus insensé d'excitants, de tranquillisants et de somnifères alternés, joint à son cruel séjour à Londres, avait probablement précipité.

Denis en fut prévenu au téléphone par la fille de Michael Stern, Lizza, dépositaire des dernières volontés de son père consignées avant de s'envoler pour l'Europe.

– Il savait qu'il ne reviendrait pas vivant de ce voyage, lui dit-elle ; il le sentait. Est-ce que vous viendrez dire la prière ?

– Je m'interroge, dit Denis. Ça doit se passer quand et où ?

– Je dois vous préciser que notre mère était luthérienne, les jumeaux et moi aussi, que notre père commun n'a jamais mis les pieds dans une synagogue jusqu'à ce qu'il perde complètement l'esprit après l'accident de mes frères, et qu'un collègue religieux lui bourre la tête. Sachez que, comme ultime représentante de la famille, je me moque éperdument de cette histoire de prière. Alors, ne vous croyez pas obligé de vous déranger. Je vous donne mon numéro à New York où j'habite en ce moment. Prévenez-moi si vous venez.

En vérité, Denis ne s'interrogeait nullement. Si absurde que fût la situation, sa promesse l'engageait.

Impossible de ne pas remarquer que Lizza avait, comme lui, les yeux bleu-Stern. Il la trouva plutôt gironde, mais il n'avait pas l'esprit à batifoler. Elle-même, dans le même temps, se dit que le Français était bien séduisant et qu'en d'autres circonstances… Mais l'atmosphère n'y était pas.

Seul membre mâle de la famille, Denis, kippa sur la tête, récita la prière, *yisgadal v'yiskadash*… Puis il se déroba aux assauts d'une femme trop maquillée qui voulait à toute force l'embrasser en lui disant, « je suis ta tante, la sœur de ton père », mais subit héroïquement les condoléances d'une assistance curieuse – « mon demi-frère », marmonnait Lizza en le présentant –, et prit la fuite sitôt que l'opportunité en apparut.

Il avait l'impression d'être dans un film de Woody Allen. Avec une envie dévorante de s'arracher à cet univers, il prit l'avion pour Paris au lieu d'un vol pour Londres.

Quand il sonna à la porte des Sérignac, de sa façon toute personnelle, sur le coup de neuf heures du matin, Agnès bondit du lit où elle traînait un peu en lisant les journaux, et se précipita, précédant Alba, pour lui ouvrir.

Quand il l'aperçut, pieds nus, toute menue dans sa chemise de nuit de pensionnaire, avec sa longue tresse blonde mêlée d'argent, il sut en un éclair qu'une immense part de lui était là, et non dans une élégante demeure anglaise avec une mère juive, un *butler*, une loge à l'Arsenal et une autre à Covent Garden. Ce fut très bref. Comme une illumination qui s'éteint sitôt parue.

Il serra Agnès dans ses bras, à l'étouffer, s'émut de reconnaître son parfum très léger, la souleva comme une plume pour l'asseoir dans un fauteuil, étreignit Alba et dit : « J'ai faim ! Est-ce qu'il y a quelque chose à bouffer dans cette taule ? »

Il n'était jamais resté aussi longtemps – plus de six mois – sans passer voir ses parents, fût-ce en coup de vent. Quand il les avait invités à venir deux semaines à Londres où Romain pourrait se goberger de peinture, leur séjour avait été subtilement gâté par l'antipathie persistante entre Agnès et Sarah. Soigneusement dissimulée de part et d'autre, cela va de soi, irrationnelle, palpable comme un objet.

Les Sérignac étaient tout le temps dehors, courant musées, galeries, théâtres, magasins, aussi. Agnès assouvissait sa passion pour le cachemire. Sarah, elle, passait toutes ses journées à la galerie et rejoignait sa chambre dès qu'elle rentrait. Les occasions de choc furent donc minimes. Mais, derrière chaque parole échangée entre les deux femmes, une oreille exercée pouvait entendre un autre discours, une farouche revendication de possession. Chacune jugeait Denis à elle, chacune le voulait à elle. Elles ne se retrouvaient que contre Bess, quand d'aventure celle-ci était présente. Si bien qu'un soir, après dîner, agacé par cette tension si prégnante, Denis tira sa révérence et entraîna Bess dans l'une de ses boîtes à jazz préférée où il joua, avec le trompettiste, jusqu'à quatre heures du matin.

À Bess et à elle seule il a pu confier sans être ridicule ce qu'il avait éprouvé à Boston, dans ce cimetière juif, cerné par des hommes en noir coiffés de feutres comme des gangsters de Chicago :

– On a voulu m'en coller un, mais je me suis débattu, j'ai accepté la calotte, sans ça je crois qu'ils m'auraient tué ; et je me suis dit : « Mais qu'est-ce que je fais là ? Que me sont ces hommes noirs qui me toisent ? Dans quoi suis-je embarqué ? Si on allait m'enterrer là, avec Stern... quelle horreur ! Oh, Agnès, Romain, reprenez-moi dans vos bras, dites-moi que je suis votre fils, que je dormirai dans votre tombe, avec vous et toute la famille, dans le petit cimetière de Montcomble... » Je ne voulais même plus aller à Londres, mais rentrer chez moi, tu comprends ; *chez moi* ! Je te jure que, pendant deux heures, dans l'avion de retour, j'ai déraillé, divagué, je ne savais plus qui j'étais, je me disais : « Pourquoi ai-je laissé ce piège se refermer sur moi ? Personne ne me demandait d'être juif, pas même ma pauvre mère, au contraire... » À Roissy, j'ai dit au chauffeur de taxi : « À la maison ! » Il s'est marré : « Ça, je l'entends souvent ! Mais il faudra tout de même me donner une adresse... »

« J'étais en pleine régression. Je voulais occuper ma chambre de jeune homme, mais Agnès en avait fait une lingerie. Elle était intriguée par ce caprice. Un grand café très fort m'a rendu mes esprits : je n'allais pas semer l'inquiétude dans le cœur de mes chers vieux parents avec mes divagations. Je suis allé coucher au Lancaster, comme d'habitude, et l'insomniaque que je suis a dormi douze heures. Après, qu'est-ce que j'ai fait ? Devine...

– Aucune idée. Tu as été au Luxembourg où tu poussais jadis ton cerceau... ?

– Ne te fiche pas de moi ! J'ai cherché Marie. Tu te souviens de Marie ?

– Très bien, oui. Elle est devenue une personne très importante dans une organisation internationale, je ne sais plus laquelle... Tu l'as trouvée ?

– Oui. Dans son nouveau bureau, grand comme un hall de gare. Tu la connais, Marie ? C'est la femme la plus intelligente que je connaisse – avec toi. Elle a été intimement mêlée à ma vie. C'est elle qui a découvert Sarah. On était à Assas tous les deux. On se serait probablement mariés si j'étais resté à Paris. Encore que... C'était déjà passé de mode, le mariage ! En Amérique, puis à Londres, je l'ai un peu oubliée, franchement...

– Un peu, oui ! Quand je t'ai parlé d'elle et de son petit Denis, tu as fait semblant de tomber de la lune...

– Je n'ai pas fait semblant : je ne savais tout simplement pas qu'elle avait un enfant.

– Et tu l'as appris quand, que c'était ton fils ?

– Je ne l'ai pas appris : je l'ai deviné. On prenait un verre ensemble, de temps en temps, quand je passais par Paris. Je lui envoyais des fleurs, ou je lui apportais un petit cadeau anglais. Un jour, elle m'a prié de la rejoindre chez elle ; j'ai acheté à l'intention de son Denis un de ces jeux électroniques qui amusent les garçons. Je ne le connaissais pas. J'ai été immédiatement saisi par la couleur de ses yeux. Ce bleu-Stern qui me poursuit... J'ai posé la question à Marie : « De qui ton fils tient-il le bleu de ses yeux ? » Et, avec la plus grande simplicité, elle m'a répondu : « De toi. » J'ai eu un petit choc désagréable, bien que le môme soit charmant. Je me suis dit : « Quand vais-je faire enfin les choses comme tout le monde, au lieu de me retrouver dans des situations baroques ? » Car Marie n'est pas simple. J'ai compris qu'elle avait organisé ce contact entre son fils et moi pour tâter le terrain. Si elle le désirait, je l'épouserais, naturellement, et reconnaîtrais cet enfant. Mais elle ne veut pas. Il porte son nom, elle n'a aucun problème matériel ; elle m'a expliqué gentiment que, lorsqu'elle aurait besoin d'un père pour Denis, elle me le ferait savoir ; qu'elle l'a inscrit dans un grand collège anglais pour ses études supérieures, et qu'alors nous pourrons établir, lui et moi, des contacts réguliers...

Qu'est-ce que je peux objecter ? Donc, je n'objecte pas et j'essaie de maintenir une relation affectueuse avec Marie, de les voir tous deux quand je passe par Paris.

« Pour te dire la vérité, c'est assez frustrant. On n'a pas un vrai contact avec un jeune adolescent comme cela. C'est artificiel. Parfois, je me dis que je ferais mieux de ne plus y penser, que, s'il a un jour besoin de moi, il saura où me trouver.

– Elle est toujours jolie, Marie ?

– Elle ne l'a jamais été. Elle a de la classe, du charme, et elle l'a gardé. La dernière fois, je l'ai arrachée à ses rendez-vous et on a été manger une glace chez Berthillon, comme autrefois… Pendant une heure, nous avons eu dix-huit ans… C'est exactement ce dont j'avais besoin ! Mais c'est un état essentiellement fugitif…

– Pour une fois, je ne sais quoi te dire, Denis. Je n'ai aucune expérience des enfants, ni de la nature des relations qu'on peut entretenir avec eux, sauf les plus conventionnelles : Papa, Maman… Est-ce que tu as l'intention d'en faire un autre ?

– Ni l'intention, ni le projet. C'est même bizarre… Plusieurs femmes ont compté dans ma vie ; je n'ai voulu d'enfant avec aucune. Peut-être parce que j'ai été un nouveau-né abandonné… Il paraît que les nourrissons ont une mémoire d'enfer !

– Je peux le comprendre. Mais… Tu as un fils tout fait, et il te plaît ; déclare à Marie que le moment est venu où tu veux t'occuper de son éducation, c'est-à-dire l'avoir avec toi, et prends-le. Elle n'a aucune raison de refuser. Et amène-le à

Sarah, qui en tombera folle, surtout s'il a vraiment les yeux bleu-Stern…

Cette conversation avec moi, Bess, se passait dans la chambre à coucher de mon petit appartement parisien. Denis en payait le loyer depuis que j'avais eu un gros ennui avec un faux Basquiat. Une histoire sans intérêt, mais qui peut arriver à n'importe qui, dans notre métier, avec les peintres d'aujourd'hui… J'avais dû réduire un peu ma voilure ! Avec son habituelle générosité, Denis avait pris en charge mes deux logements, à Londres et à Paris, jusqu'à ce que je me refasse, ce qui était d'ailleurs en bonne voie.

Donc, nu sous le drap, il s'était mis à réfléchir… Soudain, il a saisi le téléphone, il a formé un numéro, je me suis éloignée pour le cas où sa communication aurait revêtu un caractère privé, mais, d'une pièce à l'autre, on entend tout. Alors j'ai su qu'il appelait Marie et qu'il lui disait :

— J'ai envie d'emmener Denis le Petit à la campagne, en Angleterre, pour la semaine. On fera du cheval, on jouera aux échecs. Si tu me le prêtes, je passe le prendre demain matin. Oui, ça me ferait plaisir…

Marie dit oui.

Le week-end fut une réussite. Denis le Grand et Denis le Petit en revinrent enchantés l'un de l'autre.

L'escapade se renouvela plusieurs fois dans l'année, aux petites vacances, en été. Denis le Petit attendait avec impatience que s'ouvre enfin le tunnel sous la Manche, dont la décision de mise en travaux venait d'être prise par Margaret Thatcher et François Mitterrand malgré une formidable résistance des Anglais. Denis le Petit, qui se sentait directement concerné, se renseignait régulièrement sur l'avancement du chantier.

En fait, il était devenu un grand jeune homme quand le tunnel fut opérationnel et qu'il put enfin le traverser en train. Mais il n'oublia jamais l'excitation, la griserie de son premier voyage sous la Manche.

Ce jour-là, il arriva en trombe chez Sarah pour raconter... Difficile de raconter « rien », une émotion seulement créée par l'imagination...

– Est-ce qu'on entend le bruit de la mer ? demanda Sarah.

– Non. Seulement le bruit du train.

– Et qu'est-ce qu'on sent ?

– On ne sent rien ! Mais quand on songe qu'on est en train de fendre quelques tonnes d'eau... Tout à l'heure, il y a une jeune fille qui s'est mise à hurler parce que, tout à coup, elle a été prise de terreur...

Comme Bess l'avait prévu, à peine Sarah Berger eut-elle fait la connaissance de Denis le Petit qu'elle fut sous le charme de ce petit-fils qui lui tombait du ciel.

Elle demanda à Denis le Grand si le garçon était circoncis.

– Bien sûr que non ! fit Denis. Marie est catholique, et moi... moi, je n'ai rien à en faire !

– C'est bien, soupira Sarah. J'avais peur...

– Toi, sourit Denis le Grand pour taquiner sa mère, toi, tu es en train de te dire : « Encore un que les fachos n'auront pas ! »

– Exactement ! lança-t-elle en riant.

Mère et fils étaient en train de boire le whisky du soir.

– Comment pouvons-nous rire de cela… ? reprit Sarah.

– Nous pouvons rire de tout, répondit Denis le Grand. Je dirai même que c'est indispensable si nous voulons survivre…

– Denis, dis-moi… Pourquoi n'épouses-tu pas Marie ?

– Je le ferais si elle le désirait, mais elle ne veut pas d'un mari, ni moi ni un autre. Et je ne suis pas sûr de vouloir d'une épouse. Tu sais bien que je n'appartiens pas à l'espèce des bons maris juifs, mais plutôt à celle des Français volages… Depuis dix ans que tu habites avec moi, combien de femmes as-tu… comment dire… devinées dans ma vie ?

– Pas mal, en effet. Mais il suffit d'une pour que tu changes !

– Tu le souhaites vraiment ? Me voir enchaîné, confisqué ?

– Vraiment ? Non, mais…

– Tu vois ! Alors, on reste comme ça et on n'en parle plus. Ma seule chaîne, c'est toi !

– Exactement ! lança-t-elle en riant.

Mère et fils étaient en train de boire le whisky du soir.

– Comment pouvons-nous rire de cela… ? reprit Sarah.

– Nous pouvons rire de tout, répondit Denis le Grand. Je dirai même que c'est indispensable si nous voulons survivre…

– Denis, dis-moi… Pourquoi n'épouses-tu pas Marie ?

– Je le ferais si elle le désirait, mais elle ne veut pas d'un mari, ni moi ni un autre. Et je ne suis pas sûr de vouloir d'une épouse. Tu sais bien que je n'appartiens pas à l'espèce des bons maris juifs, mais plutôt à celle des Français volages… Depuis dix ans que tu habites avec moi, combien de femmes as-tu… comment dire… devinées dans ma vie ?

– Pas mal, en effet. Mais il suffit d'une pour que tu changes !

– Tu le souhaites vraiment ? Me voir enchaîné, confisqué ?

– Vraiment ? Non, mais…

– Tu vois ! Alors, on reste comme ça et on n'en parle plus. Ma seule chaîne, c'est toi !

11

En 1990, Denis fut en situation de rendre service au gouvernement français. Un Titien, inestimable, prêté par le British Museum pour être montré à Paris, avait disparu à la fin de l'exposition. L'affaire fut d'abord soigneusement dissimulée. Bien sûr, la toile était assurée, mais, pour les organisateurs français, c'était une honte sans nom. Outre que les Lloyds n'allaient pas payer sans voir...

Quand il devint impossible de cacher que le Titien n'avait pas réintégré le British Museum, notre ambassadeur à Londres prévint Paris que le vol allait devenir public et que les « mangeurs de grenouilles » français allaient être durement brocardés. De surcroît, l'enquête menée par les Lloyds livrait des informations alarmantes : il y aurait eu un complice à l'intérieur du Grand Palais, et un autre à l'extérieur...

En France, une femme commissaire, intelligente et compétente, Marianne F., était chargée de retrouver le Titien. Mais la traque piétinait lamentablement. Un commissaire-priseur la dirigea sur Denis Sérignac, c'est-à-dire vers le premier galeriste de Londres, expert dans toutes sortes d'instances. Elle fut étonnée et charmée de tomber sur un homme jeune qui parlait le français comme elle.

Il était au courant du vol, naturellement, et alors ?

– Alors, lui dit-elle, je sais que vous savez tout du milieu de la peinture, des gens qui gravitent autour, des grands collectionneurs, des grands faussaires, des grands marchands. Donnez-moi votre avis sur un point, capital pour mes recherches, à propos duquel je n'arrive pas à me faire une idée : qui, aujourd'hui, peut avoir l'idée loufoque de voler un Titien connu, répertorié et invendable ?

Ils parlèrent pendant trois heures. Au bout desquelles Denis résuma ses conclusions, s'agissant du Titien :

– On ne vole pas une telle toile pour la revendre, parce qu'il n'y a personne pour l'acheter. Elle est trop identifiée. À moins que... le voleur ne soit le bras d'un commanditaire, un amateur un peu fou – il y en a beaucoup –, amoureux du Titien en général ou de cette toile en particulier qu'il pouvait contempler au British Museum. Quand il l'a vue au Grand Palais, habité par le désir de se l'approprier, il a craqué. Mais sans aller jusqu'à la voler lui-même... C'est un métier, de voler. Il a trouvé un spécialiste et l'a bien rémunéré. Quant à la toile, elle doit être quelque part, dans une cave, allez savoir... Ces fous-là n'accrochent généralement pas le produit de leur convoitise. Leur jouissance reste intellectuelle : il est à moi !... Il peut naturellement y avoir des intermédiaires entre le collectionneur obsédé et le voleur qui opère. Si mon hypothèse est juste, il y en a même certainement. Le voleur ne s'est pas retrouvé seul sur les Champs-Élysées avec un Titien sur les bras. Il l'a passé à quelqu'un qui l'a entreposé, puis dirigé vers le commanditaire... Un marchand plus ou moins véreux, peut-être, qui connaît les filières... Que puis-je vous dire de plus ? Tout ceci n'est peut-être qu'un pur roman de ma part...

– Vous m'ouvrez des horizons auxquels nous n'avions pas pensé, dit la commissaire. Les différents enquêteurs ont été obnubilés par la vision d'un vaste « réseau du crime » s'étendant jusqu'en Asie...

– Il existe peut-être, répondit Denis. Mais, entre la France, l'Allemagne, la Grande-Bretagne, l'Italie et l'Espagne, plus la Suisse et les Pays-Bas, vous avez tout ce qu'il faut pour faire commerce de tableaux volés et rouler les amateurs ingénus.

Il lui fit visiter la galerie, où il y avait un bel accrochage Dubuffet, la présenta à Sarah et l'emmena dîner au *Golden Gloves* où jouait un bon pianiste. Puis il la raccompagna au *Brown*, l'hôtel où elle était descendue. Comme ils n'étaient bégueules ni l'un ni l'autre, ils passèrent ensemble quelques heures d'une délicieuse intimité et se quittèrent au matin en se jurant de se revoir à Paris.

Le lendemain, Sarah interrogea Denis sur cette gracieuse Parisienne : que faisait-elle à Londres ?

Denis le lui expliqua en quelques mots, puis murmura un « Ça m'a bien plu, de baiser un flic... » qui laissa Sarah interloquée.

Deux semaines passèrent, puis se présenta un jour à la galerie un homme que Denis reconnut immédiatement, malgré des lunettes noires, un feutre à la Bogart et un imperméable douteux qui lui donnait mauvaise allure. Il le fit entrer dans son bureau, lui adressa quelques mots de bienvenue, proposa un café.

– Écoutez, dit l'homme, je n'ai jamais oublié… Non, je n'ai jamais oublié que vous m'avez sauvé de la prison, quand j'ai fait cette bêtise, vous vous rappelez ?

– Oui, acquiesça Denis, cette grosse bêtise… Qu'est-ce qui vous amène aujourd'hui ? Besoin d'un coup de main ?

– Non. En ce moment, ça va. Je viens payer ma dette. Les journaux disent qu'on vous a consulté au sujet du Titien volé. Ça vous intéresse de savoir qui l'a dérobé ?

– Un peu, oui !

– Ensuite, vous oublierez que vous m'avez vu ?

– Promis.

– Je ne veux pas bluffer. Je ne sais pas où est le tableau, ni à qui il était destiné. Mais j'ai la filière. Celui qui s'est fait enfermer au Grand Palais et qui a découpé le Titien au cutter, c'est Curt Knowland. Scotland Yard le connaît bien, mais n'a jamais pu lui mettre la main dessus. Il a corrompu le gardien et est sorti tranquillement avec la toile roulée. Knowland est souvent en cheville avec un Français pas net, mais qui a pignon sur rue : Fesca, ça vous dit quelque chose ? Il a gardé la toile quelques jours, et puis elle a disparu dans une camionnette. Elle doit être entre les mains du commanditaire, car Knowland a touché le gros paquet. Voilà ce que je sais. Si ça peut servir…

– Je comprends que ça peut servir !

– Il vaut mieux que je ne traîne pas ici. Knowland a des yeux partout. Allez, au revoir…

L'homme s'éclipsa. À peine avait-il franchi la porte de la galerie et fait quelque pas dans la rue qu'un coup de feu retentit, son chapeau vola et retomba, transpercé d'une balle. Il se baissa pour ramasser sa coiffure et grogna en direction de Denis qui était accouru :

– Faites gaffe ! L'avertissement vaut pour vous…

Et, cette fois, il disparut.

Denis avait plutôt le goût du risque. Sur des skis, à bord d'un voilier, d'une voiture rapide, il était intrépide. Mais se faire descendre par un malfrat à cause d'un Titien lui paraissait le comble de l'absurdité.

Il songea à demander une protection au patron de Scotland Yard qu'il connaissait bien, mais c'est le numéro que lui avait laissé Marianne F., celui de sa ligne directe, qu'il chercha et trouva dans son agenda. C'est elle-même qui répondit, ravie de l'entendre.

– J'ai quelque chose à vous raconter, lui dit Denis ; quelque chose d'intéressant au sujet du Titien. Voulez-vous l'enregistrer ou préférez-vous m'envoyer quelqu'un ?

– Je veux que vous veniez, dit la commissaire.

C'était ce qu'il attendait.

La suite fut une promenade pour les polices française et anglaise qui reçurent compliment. Le commanditaire était tel que Denis l'avait imaginé : un homme d'une cinquantaine d'années, vivant seul dans une grande maison en désordre avec quelques chats ravissants ; un amoureux du Titien, et singulièrement de ce tableau-là, incapable de l'acheter si d'aventure il avait été en vente, et que la vue de « sa » toile au Grand Palais avait foudroyé. Quant à Fesca, c'était un habile filou. La police française le surprit au nid alors qu'il camouflait dans sa cave vingt dessins de Picasso fraîchement dérobés. On demanda à Denis de les authentifier : ils étaient tous faux. Le précédent propriétaire rentra dans son bien, mais pas dans son plaisir. Il était furieux contre Denis !

Le Titien avait regagné les cimaises du British Museum, la France était à peu près réhabilitée aux yeux des Anglais, lorsque le ministre de la Culture souhaita faire Denis Sérignac chevalier de la Légion d'honneur pour le remercier de sa coopération. Était-il français au anglais ? S'il était anglais, cela dépendait des Affaires étrangères. Pas du tout, lui dit-on : renseignements pris, Sérignac est installé en Grande-Bretagne, mais est tout à fait français ; c'est d'ailleurs le fils d'un ancien magistrat.

Le dossier Sérignac suivit son cours. Quand il arriva à l'Élysée, le ministre de la Culture en souffla un mot au Président qui était alors François Mitterrand.

– Sérignac, Sérignac... J'ai connu son père quand j'étais garde des Sceaux. Je vais lui remettre moi-même son ruban.

C'était l'un des spectacles les plus cotés du régime. Deux à dix personnes en brochette, debout, face au Président adressant à chacun des récipiendaires un compliment improvisé, long de dix, quinze minutes, dans la meilleure langue, avec le meilleur humour, et donnant à croire qu'il savait tout, mais vraiment tout de ceux qu'il honorait. Puis il agrafait la médaille sur la poitrine de l'heureux décoré et lui donnait l'accolade. Exercice éblouissant de virtuosité.

Il se déroulait en présence des invités – une quinzaine – de chaque nouveau légionnaire. Denis avait prié Agnès et Romain, naturellement. Romain, qui portait lui-même la rosette, était vraiment heureux que Denis le rejoignît dans l'Ordre. Cependant, la famille n'en faisait pas une affaire.

La question s'était posée de savoir s'il fallait inviter Sarah. Plus exactement, Agnès avait soulevé la question. Denis avait répondu non, sèchement. Personne n'avait à se mêler de ses relations avec sa mère. Il la faisait vivre en quelque sorte sous protection, dans une bulle dont il était l'oxygène. Invités également : Marie, bien sûr, accompagnée par Denis le Petit qui mesurait maintenant 1,70 mètre, Bess, bien sûr, ses amis des réunions du mercredi, un ou deux collègues anglais, son avocat français, deux collaboratrices et collaborateurs dans le cadre de la galerie ; et Alba, Denis l'avait exigé.

Le Président fut étincelant, comme à l'accoutumée, puis, son numéro de haute voltige achevé, il entraîna vers un gigantesque buffet celles et ceux avec lesquels il souhaitait échanger quelques mots. Romain Sérignac eut ainsi l'honneur d'une amicale évocation du passé.

Mais c'est à Denis que le chef de l'État voulait parler. Pourquoi faisait-il carrière en Grande-Bretagne et pas en France ? La France avait besoin des meilleurs de ses fils. Avait-il visité le nouveau Louvre ? Vu la pyramide de Pei ? Comment percevait-il l'effort colossal de la France dans le domaine de la culture, en faveur de sa diffusion, de la création ? « Vous connaissez bien les États-Unis : est-il vraiment fatal qu'ils nous enfoncent, alors que c'est là notre domaine ? »

Denis fut subjugué par la séduction de ce vieil homme à la langue châtiée, qui savait sur la peinture et la littérature anglaises des choses que lui-même ignorait, qui parlait de la France comme d'une personne souffrante et néanmoins parée de toutes les beautés, de toutes les gloires.

À l'issue de la cérémonie, Denis dit à son père :

– Encore un peu et j'allais lui promettre de rentrer en France, ce dont il se fout, naturellement ! Mais on succombe à son charme, non ?

– En effet, dit Romain. Il faut se méfier...

– Pourquoi se méfier ? Je trouve ça plutôt agréable, un chef d'État capable de vous séduire par son esprit, sa culture... Il n'y en a plus comme ça, et probablement n'y en aura-t-il plus. Ce vieil homme m'a plu, et je suis content que nous ayons voté pour lui en 88.

– Après tout, moi aussi. Il n'aura pas son pareil. Mais comment fait-il pour tenir deux heures debout ? Moi, je suis épuisé...

La petite bande des amis se retrouva pour dîner dans un grand restaurant où Denis avait fait réserver un salon. Bess arriva la dernière en portant *Le Monde* dont elle mit aussitôt la manchette sous les yeux de Denis :

– Tu as vu ? Tiens, lis : « L'imprévisible est advenu : Israël et l'OLP se sont mutuellement reconnus. »

– J'en étais sûr ! s'exclama Denis. J'étais sûr que ça viendrait. Bess demande du champagne, beaucoup de champagne, du meilleur : c'est vraiment un jour qu'il faut fêter !

Le Monde circula autour de la table, les uns s'en emparant avec émotion, les autres ne voyant manifestement pas où était l'événement.

Denis le Petit demanda des explications. Assis entre Marie et Bess, il eut droit à un cours très complet.

Le champagne étant servi, quelques-uns voulurent porter un toast à l'amphitryon honoré par la République. Denis écoutait distraitement, préoccupé parce que, tout à l'heure, il lui faudrait répondre, lorsque l'un de ses amis du mercredi, Arno, prit à son tour la parole et déclara sévèrement :

– L'événement, qui est immense et nous concerne tous, nous autres Juifs, c'est cette reconnaissance mutuelle. Denis me permettra de penser qu'il y a plus d'importance aujourd'hui que cette faveur rouge qu'on vient de lui attacher...

Denis écouta sans broncher. Il était bien d'accord avec ce point de vue, même si celui-ci aurait pu être énoncé avec plus de grâce. Mais Denis le Petit tira la manche de sa mère :

– Pourquoi celui-là a-t-il dit « Nous autres Juifs » ?

– Parce qu'il est juif.

– Mais nous, on ne l'est pas !

– Non, nous, on n'est pas juifs.

– Alors, pourquoi ce type a dit « Nous autres Juifs » ?

Marie soupira :

– On en reparlera. Écoute, maintenant...

Bess, qui avait saisi quelques mots de l'échange, demanda à Marie :

– Qu'est-ce qui se passe ?

— Rien, répondit Marie. Presque rien. Nous avons là un petit nazi en herbe. Il va falloir aviser.

Denis avait loué deux limousines pour éviter à ses parents, à Bess et à Marie l'épreuve du stationnement un jour de pluie, près de l'Élysée, puis près du restaurant. Il pensait toujours à ce qui rend la vie meilleure ou pire, et comme l'argent peut quelquefois atténuer le pire et qu'il avait beaucoup d'argent, il essayait de l'utiliser avec discernement.

Donc, il mit dans une limousine ses parents, fatigués mais heureux, et Alba, surexcitée par tout ce qu'elle avait vu et entendu, puis il rejoignit dans une autre voiture Bess, Marie et Denis le Petit.

Saoulé de paroles, chacun fut reconnaissant aux autres de rester silencieux.

La nuit parisienne était humide et noire. Triste, en somme, alors qu'à Londres ou à New York elle était si animée… Cette différence frappait toujours Denis lorsqu'il venait, parce qu'il n'en trouvait pas l'explication. Interrogé, le concierge du Lancaster lui avait dit : « C'est parce que tout le monde regarde la télévision, monsieur, sauf les jeunes. » Et Denis avait eu la vision cauchemardesque d'un vaste dortoir de vieilles personnes, les yeux rivés sur leur petit écran.

Avant de quitter ses compagnes et son fils, il les informa que, les jours suivants, il serait à Florence pour une transaction importante, donc difficile à joindre : en cas d'urgence, passer par sa secrétaire à Londres où il comptait rentrer d'ici deux jours.

Il raccompagna l'une, puis les autres jusqu'à la porte de leur immeuble, attendant bien sûr que le code ait fonctionné pour leur donner un léger baiser d'adieu. Puis il régla la limousine et partit à pied malgré la pluie fine. Mais un Londonien n'a pas peur de la pluie.

Inutile que quiconque sache où il va passer la nuit. Mais nous, nous pouvons le dévoiler : c'est chez la jolie commissaire.

12

En vérité, Denis Sérignac ne s'intéressait pas beaucoup plus à Israël qu'à la Tchétchénie, au Kosovo ou au Cachemire. Pas moins, non plus. Grand lecteur de journaux, il se maintenait au courant. Cependant, la fréquentation intense de l'art l'avait tenu relativement à distance des turbulences géopolitiques dont il voyait bien le caractère tragique mais toujours dérisoire, une sorte d'impôt du sang que le genre humain, fasciné par la mort, devait régulièrement payer. L'art, c'était plus fort que la mort. Il citait parfois Michel-Ange : « La bonne peinture, c'est le pinceau de Dieu. »

Il se laissait de bonne grâce rançonner par les Juifs, anglais ou français, qui, l'ayant détecté, sollicitaient son appui financier pour monter une pièce – le monde du théâtre était plus vivant et fécond qu'en France –, pour lancer un journal, pour tourner un documentaire. Il remplissait ainsi, parfois avec plaisir, l'obligation morale que lui faisait sa situation. Il fuyait les Juifs américains ostentatoires – « puants », disait Bess –, puissants en même temps qu'ostracisés, grands créateurs parfois, prix Nobel de ceci ou de cela, mais à qui on ne laissait jamais oublier qu'ils étaient juifs et qui, de ce fait, ne l'oubliaient pas eux-mêmes. Juif tardif, Denis avait eu le bon réflexe de lire Philip Roth, Saul Bellow, romanciers fabuleux, mais dont la judéité obsessionnelle l'asphyxiait. C'en devenait un métier. Provocateur, il eut la légèreté de lâcher publiquement : « Je préfère Céline », et faillit se faire écharper. Il se disait que l'on peut tout naturaliser, tout convertir, sauf sa sensibilité, et que la sienne ne se trouvait pas − c'était un fait − à l'unisson de la sensibilité juive américaine. En France, et encore moins en Grande-Bretagne, il n'avait jamais éprouvé une pareille différence. Mais peut-être existait-elle, masquée par l'humour ? Cela ne le tourmentait guère. Il était arrivé à évoluer à peu près harmonieusement dans sa peau de Juif d'occasion.

Denis ne se sentit vraiment concerné par l'existence d'Israël que le soir de novembre 1995 où Yitzhak Rabin fut assassiné, deux ans après le fameux accord de reconnaissance mutuelle qui semblait enfin ouvrir une voie à la paix. On crut d'abord que c'était l'œuvre d'un Palestinien, mais l'obscène vérité fut bientôt connue : le criminel était un jeune étudiant juif bien éduqué, Ygal Amir, qui voulait arrêter le processus entamé à Oslo. Il était le bras armé des religieux.

Denis était ce soir-là en France où il passait maintenant la plupart des fins de semaine avec Denis le Petit. Sous la pression conjuguée du garçon, de Marie et de Bess, il avait acheté en Normandie une maison où l'on recevait sans façons des amis en tout genre, à condition qu'ils montent à cheval et jouent convenablement aux échecs. La télévision n'était autorisée qu'à l'heure des informations.

En cette soirée pluvieuse de Toussaint, Denis le Petit boudait un peu, parce que les amis de son père l'ennuyaient avec des conversations qu'il ne comprenait pas – en l'occurrence, il s'agissait d'Arno et d'un nouveau venu dans le cercle des philosophes du mercredi : Simon, un journaliste. Le garçon était monté dans sa chambre. Secondées par une femme du village, Bess et Marie s'occupaient du dîner lorsque la nouvelle de l'assassinat éclata au journal du soir.

Denis fut ému parce qu'il connaissait bien Léa Rabin. Cette belle créature aux yeux verts, qui dégageait une sorte de magnétisme, adorait la peinture, et l'ambassadeur avait demandé à Denis de la guider dans ses achats, destinés à un musée d'Israël, au cours d'un voyage à Paris. Cette tâche lui avait procuré un réel plaisir, ils avaient beaucoup ri ensemble et il avait promis d'aller la voir chez elle. Et puis, cette horrible nouvelle...

Il rédigea en hâte un long télégramme, voulut envoyer des fleurs, mais Arno lui fit observer qu'on n'honore pas de fleurs un mort juif.

Bess raconta plus tard que, ce soir-là, elle avait eu très peur. Que Denis, Arno et Simon n'avaient pas été loin d'en venir aux mains, tant ils s'étaient emportés.

– Jamais nos pères ne renonceront au Grand Israël, avait lancé Simon. Je n'admets pas l'assassinat, parce qu'il va à l'encontre de toute la pensée juive, mais je comprends ce qui a poussé ce garçon.

– Mais c'est idiot ! s'était insurgé Denis. Le Grand Israël n'a pas de sens au milieu d'un monde arabe dix fois plus nombreux ! Israël existe pour quoi ? Pour que tous les Juifs du monde, persécutés depuis l'aube des temps, aient un refuge, un lieu sûr. Ils l'ont sur une terre qui a été la leur et où ils sont fondés à vivre. Mais un autre peuple a vécu sur cette terre et il est fondé à en vouloir sa part. Comment ne pas comprendre qu'il faut partager ?

Arno avait répliqué :

– Tu parles comme un goy ! Tu as vu la gueule d'Arafat ? Qui a envie d'avoir ce type-là comme voisin de palier ? Pour se faire égorger durant la nuit…

C'était affreux, d'après Bess. Attiré par les cris, Denis le Petit était descendu. Il écoutait, épouvanté : jamais il n'avait vu son père, le plus calme des hommes, aussi en colère. Là, il fulminait, répondant à qui mieux mieux à Arno par des citations talmudiques de circonstance. Il y a toujours des citations talmudiques à placer en n'importe quelles circonstances, car elles disent tout et son contraire…

Simon, le journaliste, était moins emporté, mais manifestement horrifié par l'assassinat du Premier ministre, et très pessimiste sur la suite :

– La droite va remporter les élections, mais elle est incapable de négocier la paix, parce que, fondamentalement, elle n'en veut pas ! Elle veut casser du Palestinien. Jusqu'à ce que les autres plient…

– Mais nom de Dieu ! s'écria Denis. Toute l'Histoire est là pour leur donner tort !

– Pouce ! suggéra Arno. On ne va tout de même pas s'engueuler à cause de ces… salauds !

– Et qui sont les salauds ? demanda Simon, dressé sur ses ergots.

Et hop ! c'était reparti !

Cette soirée eut deux conséquences.

Denis cessa de fréquenter régulièrement le cercle du mercredi : il s'y sentit en porte-à-faux. Il me dit :

– Qu'est-ce que tu veux, il me manque des ancêtres chassés d'un ghetto et des parents brûlés à Auschwitz pour être vraiment des leurs. Personne ne peut se mettre dans la peau et la tête d'un Juif qui a vu sa mère entrer dans une chambre à gaz. Je vois bien Sarah... La communication, à un certain moment, devient impossible... Mais je les aime bien, mes copains, nous avons passé ensemble des moments d'étude passionnants, j'espère qu'un jour, la paix venue, nous pourrons les reprendre. Jusque-là, nos discussions seraient stériles...

Il avait raison. Mais je devais à notre amitié de lui ouvrir les yeux sur un autre problème qu'il paraissait ignorer complètement : Denis le Petit. À seize ans, ce garçon, adorable, avait dû avaler un nombre effarant de secrets, ces secrets de famille qui rendent les enfants beaucoup plus malades que les abus de chocolat. Il se trouvait à la tête de trois grands-mères – heureusement, la mère de Marie habitait l'Amérique du Sud, mais elle se manifestait tout de même parfois – et d'un père dont il ne portait pas le nom, tout cela sans la moindre explication. Pas facile, il est vrai, d'expliquer. Et, aujourd'hui, pour couronner le tout, il sentait son père fortement impliqué dans le conflit israélo-palestinien, et s'y retrouvait d'autant plus mal que sa grand-mère d'Amérique du Sud lui avait soufflé, lors de son dernier passage à Paris où on lui avait volé son sac : « C'est sûrement un voyou juif. Tout ce qui arrive de mauvais dans le monde, c'est la faute des Juifs. Crois-en mon expérience ! »

J'aimais beaucoup cet enfant. Alors, j'ai pris Denis le Grand entre quatre yeux et je lui ai dit :

– Maintenant, tu lui parles et tu lui racontes tout. Sinon, il va fuguer ou se droguer, ou je ne sais quoi d'autre, mais ce gosse a un chaos dans la tête !

Il a réfléchi un instant, puis m'a dit :

– Tu as raison. Je lui parlerai. Mais il me faut l'accord de Marie.

Venise avait demandé à Denis d'être le commissaire d'une grande exposition Giacometti. Il avait accepté par amour pour le sculpteur et pour l'œuvre dont il possédait quelques pièces superbes. Le temps lui avait manqué, à Paris, pour s'entretenir de Denis le Petit avec Marie. Bess le relança au téléphone : avec les portables, personne n'a plus de refuge. Il appela donc Marie et lui demanda de venir passer quarante-huit heures avec lui à Venise. Objet : Denis le Petit. Elle accepta. Elle était devenue une économiste considérée, attachée à l'OCDE, mais très libre de son temps. Elle voyageait beaucoup. En vérité, Denis ne savait trop comment elle vivait. Sans compagnon officiel ni officieux, apparemment. Même Bess, au courant de tous les ragots, aurait dû en savoir davantage, mais la vie privée de Marie de Groot restait même un mystère pour ses meilleurs amis. On la voyait parfois à l'Opéra, au cinéma, accompagnée, mais rarement avec le ou la même, et ces derniers temps plutôt avec son fils.

Denis vint la chercher à l'aéroport. Venise est la seule ville dont on quitte l'aéroport en bateau, et ce premier trajet sur l'eau est toujours un enchantement.

Denis, qui faisait bien les choses, lui avait retenu une chambre au Cipriani. La dernière fois qu'ils avaient voyagé ensemble, ils avaient couché sous la tente.

– On était amoureux, dit Denis, c'était délicieux.

Marie rectifia :

– Moi, j'étais amoureuse. Toi, c'est moins sûr.

– Fais-moi une scène rétrospective ! répliqua Denis en riant. J'adorerais ça…

Ils étaient assis au bar de l'hôtel, désert à cette heure de l'après-midi. Les clients étaient en ville ou à la piscine.

– Tu sais que je ne suis jamais venue ici ? dit Marie.

– Ici, au Cipriani ?

– Non, ici, à Venise.

– Eh bien, je t'envie ! Je vais te piloter, te montrer des choses qu'aucun touriste ne connaît. Tu as combien de jours ?

– Trois. Un de mes amis m'a dit : « À Venise, tu verras le plus beau tableau du monde, *La Tempête*, de Giorgione. »

– Il s'y connaît, cet ami. Qui est-ce ?

– Secret Défense : vie privée.

– Bien-bien, je n'ai rien dit. À propos de vie privée, il faut que nous parlions de Denis le Petit. Je propose que nous fassions cela tout de suite. Cela peut être long.

Ce fut long, en effet.

Première question : fallait-il dire à Denis le Petit que son père était un enfant adopté ? Cela, déjà, lui serait un choc, alors que Romain Sérignac, qui l'adorait, le traitait comme l'héritier de la tradition familiale, honneur et patrie…

Et le secret de Sarah, fallait-il le lui révéler ? Non. Plus tard, peut-être.

Expliquer pourquoi son père et sa mère ne s'étaient pas mariés ? Pourquoi il portait le nom de sa mère ? « Les femmes, tu sais, aujourd'hui, elles font ce qu'elles veulent. Cela lui faisait plaisir… n'est-ce pas, Marie ? »

Fallait-il dire à Denis le Petit que son père était juif ? C'était la question la plus grave, elle le mettait directement en cause. Lui-même, à qui la mère de Marie racontait que tout le mal de par le monde venait des Juifs, était-il marqué du sceau d'infamie ? Aux termes de la loi mosaïque, c'est la mère qui compte, pas le père. Denis de Groot, fils de Marie de Groot et de Denis Sérignac, pouvait parfaitement, sous ce vieux nom hollandais, revendiquer la religion de sa mère et rejeter celle de son père.

Mais la vraie question n'était évidemment pas là.

– C'est à toi qu'elle se pose, Denis, dit Marie, et toi seul peux y répondre. Un accident s'est produit, lors de tes vingt ans, qui a fait d'un jeune Français appartenant à une bonne famille du Sud-Ouest un jeune Juif au père hongrois. Tu aurais eu la faculté de te dérober à cette nouvelle identité. Tu l'as assumée et, jusqu'à présent, tu t'en es bien tiré. Est-ce que tu te sens aujourd'hui le devoir, le droit, le désir – je ne sais trop ce qu'il faut dire – de passer le flambeau à ton fils, alors que tu peux l'en dispenser ?… Si c'est le cas, il faut le lui dire rapidement ; il est troublé, en ce moment. Si ce n'est pas le cas, il faut aussi lui fournir quelques explications…

Denis se tut longuement, puis :

– Tu as exactement posé le problème, Marie, comme toujours. À un détail près : toi, sa mère, que préfères-tu pour lui ?

– Je n'ai pas à préférer, répondit Marie. C'est à lui de préférer, si on lui donne le choix. Et je souhaite que nous le lui donnions.

– Aujourd'hui, il est trop jeune. On ne peut engager sa vie à seize ans sur une telle question !

– C'est juste. Alors, disons que nous lui laissons l'option ouverte. À dix-huit ans, il devra dire si Denis de Groot veut se vivre juif ou pas. S'il répond oui, ma mère en aura une attaque, cela lui fera du bien !

– Adieu l'héritage ? J'espère bien que ce détail n'entrera pas dans sa décision. S'il répond non, il fera la joie de Sarah avant qu'elle ne s'éteigne. Depuis les derniers événements d'Israël, son catastrophisme est revenu, intact.

Il héla le barman.

– Qu'est-ce que tu veux ? Un autre thé ? Un whisky ?

– Une vodka.

– L'ami qui connaît Giorgione, il ne serait pas russe, par hasard ?

– Pourquoi dis-tu ça ?

– J'ai remarqué que tu bois souvent de la vodka, depuis quelque temps…

– Bravo ! s'écria Marie. Toi, tu as fait un stage à Scotland Yard… Attends : on a encore un petit travail à effectuer – un relevé de décisions. Qui dit quoi à Denis le Petit, de quoi lui parlons-nous ensemble ?

– De tout, répondit Denis. Sans toi, je n'aurai pas le courage…

Le lendemain, Marie put enfin explorer Venise et ses trésors cachés avec le meilleur guide possible. C'était l'hiver. Il faisait froid, les passants étaient rares. Le paradis !

– Profites-en, dit Denis, tu ne reverras pas souvent Venise comme ça, nue, sans les caravanes de poux qui courent sur sa peau et lui sucent le sang !

– Élitiste, cette remarque…

– Il *faut* être élitiste ! C'est ainsi que l'on sauvera peut-être un peu de la beauté du monde. Les gens qui envahissent Venise toute l'année ou presque, qui sont-ils ? De quoi sont-ils affamés ? Quel plaisir cherchent-ils devant les Carpaccio ou les Titien ? Essentiellement celui d'avoir à raconter leur voyage, à montrer leurs photos, éventuellement leurs films. Il y en a peut-être un sur cent qui retiendra de ce qu'il a vu une impression forte, profonde, troublante, qui le poursuivra et qu'il aura envie de renouveler, de creuser… Mais la plupart diront en rentrant à leurs amis : « Cette année, on a fait Venise, c'était super ; l'hiver prochain, on fera l'Égypte… »

– Et alors ? objecta Marie. Où est le mal ? S'ils ne s'approprient qu'une faible partie de la beauté du monde, c'est tout de même mieux que s'ils en restaient exclus, exilés. Même s'il n'y en a qu'un sur cent à être foudroyé… À saisir que si le divin est quelque part, il est là !

– Je reconnais là ton côté bonne sœur, ma douce Marie : « Laissez venir à nous les touristes aveugles, leurs yeux s'ouvriront... » Viens, je t'offre un verre au Harrys'Bar. C'est un point de passage obligé. Ensuite, je t'emmènerai chez un petit bottier où tu trouveras des chaussures irrésistibles...

– Je voudrais rapporter quelque chose à Denis le Petit, dit Marie. Il sait que nous sommes ensemble. Il est très sensible aux beaux vêtements...

– On va trouver ça chez Clio... Attention, tu marches dans l'eau !

13

Le 11 septembre 2001 arracha Denis au confort intellectuel qu'il avait réussi à construire et préserver depuis qu'il
s'était découvert, entre vingt-deux et vingt-trois ans, une
double identité, une double famille, deux pères, deux mères,
et cette étiquette baroque, invisible mais bien présente,
collée sur sa poitrine : *Juif.*

Il croyait avoir compris à ce moment-là ce qu'avait signifié
l'étoile jaune pour ceux qui l'avaient portée. En fait, il n'avait
pas compris grand-chose, parce que, à la différence des
anciens, aucun danger ne le menaçait, aucun policier n'allait
l'arrêter, à se déclarer juif il risquait tout au plus une injure
ici, une rebuffade là, rien. Néanmoins, c'est ce qui l'avait
incité, à l'époque, à fuir la France. Aux États-Unis il ne
connaissait personne, personne ne le connaissait, il aurait
tout loisir d'occulter l'étiquette d'exclusion, s'il la refusait, ou
de trouver avec elle un *modus vivendi*, s'il décidait de l'assumer. C'est ce qui était arrivé au fil des mois. Dissimuler qu'il
avait une mère juive ? Cette mère coupable, fragile et
exquise, il n'avait eu que brièvement le réflexe de la haïr,
avant de vivre avec elle une idylle.

Après une longue période durant laquelle il s'était senti en quelque sorte fait de morceaux hétéroclites, condamné à une incohérence intérieure irréductible, comme s'il avait voulu emboîter les pièces de deux puzzles, les choses s'étaient peu à peu mises en place. Son inscription sociale n'était pas le fait de tel ou tel père, mais de sa propre réussite professionnelle. Il était respecté dans un milieu international exigeant. Quand son nom tombait dans une conversation entre gens du milieu, quelqu'un disait parfois : « Sérignac, c'est vrai qu'il est juif, avec ce nom-là ? » Quelqu'un d'autre répondait : « Oui, il n'en fait pas mystère. » Il n'en faisait ni mystère, ni exhibition. C'était une affaire intime.

Quand le désir l'avait pris de comprendre quelque chose au judaïsme, puisque, à tout prendre, il en était l'héritier, il avait connu, à travers ses réunions du mercredi, quelques hommes brillants, certains érudits, qui étaient devenus ses amis et ne se prêtaient pas à des relations mondaines. Peu à peu, il s'était initié aux discussions vertigineuses autour d'un passage de la Torah, aux grands mythes de l'histoire juive, mais, des Juifs, il n'en voyait guère en dehors de ses compagnons d'études.

Pourtant, un jour qu'il était allé à Deauville pour une vente de chevaux, il avait découvert, épouvanté, une station colonisée par ce qu'on appelle « le Sentier », c'est-à-dire une population de petits et surtout de gros commerçants qui, ainsi regroupés avec femmes et enfants, brillaient par leurs diamants, il faut bien le dire, plus que par la distinction. Chacun, pris séparément, était inoffensif. C'est la masse, le nombre, le côté « Casbah » qui avait saisi Denis pour qui le nom de Deauville était plutôt associé à celui de Van Dongen et de Tristan Bernard. Il fut vaguement honteux de sa réaction quasi épidermique et se promit de réfléchir à sa signification.

Quand il en fit part à Bess, qui avait disparu pour quelque temps, happée par son activité new-yorkaise, elle se montra impitoyable :

– Tu es incroyable ! Tu ne sors du meilleur quartier de Londres que pour aller dans les meilleurs quartiers de Paris, dans les meilleurs hôtels de Venise, de Zurich, de Madrid, tu ne vois la foule que dans un stade de foot où elle est complètement hétérogène, ou à l'Opéra où elle est moche mais dans le genre *middle-class*, et quand tu tombes sur un rassemblement de commerçants juifs qui ont bien le droit d'aller à la mer, tu es bouleversé de les trouver aussi vulgaires ! Mais je t'assure que les rassemblements de gros commerçants normands – il y en a sûrement... – ou marseillais ne doivent pas être non plus des lieux de haut raffinement ! À force de vivre entre des toiles à un milliard de dollars, de sortir à Paris avec des mannequins et de rentrer avec des chanteuses de jazz, tu as oublié qui sont les gens ordinaires, Denis. En gros, ils sont laids, pauvres et plutôt malheureux...

– Tu me fais là un mauvais procès, répondit Denis. Je ne sors pas avec des mannequins. Je sais à qui tu penses : tu serais bien étonnée si je te disais son métier... Je suis sensible à la beauté, je la recherche et j'ai la chance de baigner dedans, c'est vrai. Mais les Juifs de Deauville ne sont pas pauvres. Certains sont même sûrement aussi riches que moi. Mais laissons tomber... Ça n'a aucune importance. Après tout, quand je dis : « Je suis français », je n'assume pas la France dans tous ses états. Quand je dis : « Je suis juif », je n'assume pas toutes les représentations des Juifs. Et il y en a probablement beaucoup d'autres dans le monde qui sont bien pires… En fait, je bute en ce moment sur le principe de solidarité.

— Avec qui ?

— Avec Israël.

Jusque-là, tout était simple. Israël était un État qui avait sa sympathie, mais d'autres l'avaient aussi, dont il souhaitait que les habitants fussent désormais à l'abri de toute persécution, tout en croyant savoir qu'ils étaient forts, armés, qu'ils avaient de surcroît réussi leur développement économique et scientifique, ce qu'il admirait.

Et puis il y avait la philosophie juive qu'il avait commencé à pénétrer avec l'étude de la Torah, le judaïsme dont bon nombre d'Israéliens s'étaient, lui disait-on, détachés ; une méditation sans fin ni fond sur le sens de la vie, la place de l'homme, les règles morales qu'il convient de s'assigner, et pourquoi.

Avec Arno et Simon — surtout Arno — il avait ressenti, le soir où Rabin était mort assassiné, que, contrairement à ses amis, il n'avait avec Israël aucun lien charnel, que ce n'était pas son pays, que ce ne le serait jamais, et, en même temps, qu'il ne pourrait jamais devenir indifférent au sort de ce pays. La seule existence de Sarah, si vulnérable encore et pétrie de douleur, ne cesserait de lui rappeler la dimension tragique de la judéité.

Denis avait d'abord assumé sans difficulté l'ambiguïté née de son statut un peu particulier. Ce n'est pas tous les jours que l'on doit se soucier d'Israël. Mais la situation au Moyen-Orient avait évolué de telle sorte qu'il était devenu impossible de l'ignorer. La presse britannique, celle que Denis lisait quotidiennement, la télévision en étaient pleines, depuis que la seconde Intifada, la deuxième « guerre des pierres », avait commencé. Israël avait riposté avec des armes. Bientôt, ç'avait été des torches vivantes, des kamikazes qui s'étaient jetés sur les civils israéliens, et Israël avait riposté par des opérations militaires dures, destinées à neutraliser les organisations terroristes palestiniennes. Mais nul ne peut repérer ni annihiler un jeune homme qui se transforme lui-même en arme pour tuer.

Déjeunant à son club avec quelques amis journalistes qu'il voyait régulièrement, Denis interrogea en particulier Thomas Rawley, un vétéran qui revenait de Paris d'où parvenaient des informations préoccupantes.

– À Paris, il faut être pro-palestinien ou se taire, lui rapporta-t-il. L'attitude de Sharon fournit un exutoire idéal à ceux qui avaient envie de manger un peu de Juif, parce qu'ils sont excédés que ce ne soit pas « politiquement correct ». Et puis, il y a le clan des veufs du communisme qui ressentent un besoin biologique de défendre des faibles et des opprimés et qui prennent tout ce qui leur tombe sous la dent. C'est d'ailleurs plutôt sympathique... Ils se sont jetés sur les Palestiniens, bien qu'il reste à prouver que ceux-ci sont faibles... Ils ne disposent évidemment pas de l'armement israélien, mais ils tuent trente à quarante civils par jour, ce qui est énorme si on rapporte ce chiffre à celui de la population. C'est comme si on tuait quatre cents personnes par jour en Grande-Bretagne... Mais, en versant des larmes sur les

Palestiniens, on se permet enfin de ranger les Juifs du côté des bourreaux, de les dénigrer : quel soulagement !

– Ça se manifeste comment ?

– Par écrit, sous la plume de certains intellectuels, cette spécialité française qui s'épanouit sur tous les drames... Et, plus concrètement, par des actes isolés – des synagogues brûlées, des vitrines de magasins brisées –, mais qui apparaissent plutôt comme le fait des jeunes Arabes des banlieues. Tout cela sent mauvais, mais ne va pas encore très loin... Ce n'est pas la « Nuit de Cristal », rien d'organisé pour le moment, il ne faut pas que les Juifs français perdent leur sang-froid.

– Je ne suis pas d'accord, protesta Colin Moore du *Sunday Times*. Un moraliste français dont j'ai oublié le nom a dit : « Malheur à ceux qui remuent le fond d'une nation... »

– C'est Rivarol, dit Denis.

– Voilà, merci... Eh bien, on est en train de remuer le fond des nations. Et ce ne sera pas sans conséquences !

– Que peut-on faire d'utile ? s'enquit Denis.

– Rien, répondit Rawley. Rien tant qu'Arafat et Sharon seront là. Ces deux vieillards butés ont chacun pour objectif de supprimer le pays de l'autre, et non pas de vivre en paix. Croyez-en quelqu'un qui a vu de près toutes les étapes de la dernière négociation...

– On peut essayer d'agir en Israël, le corrigea Colin Moore. D'agir sur la population, pour qu'elle fasse pression sur son gouvernement. Israël est une démocratie, l'opinion y compte énormément.

... C'était précisément de cela que Denis voulait parler avec Bess, mais elle était injoignable. Et il supportait mal que les gens qui constituaient son proche entourage ne fussent pas immédiatement disponibles.

Enfin il la trouva au bout d'un portable :

– J'ai besoin de toi, lui dit-il simplement.

14

La suite, c'est moi, Bess, qui vous la raconte. Je suis bien sûr venue parce que Denis ne s'est jamais dérobé quand j'ai eu besoin de lui, et je n'ai pas toujours été drôle. Je ne sais pas comment il faut appeler le lien qui s'est tissé entre nous, mais je le crois plus solide qu'un amour, et il a d'ailleurs défié toutes celles et tous ceux qui ont essayé de s'insérer entre nous.

Donc, il m'a appelée et je suis venue. Il était profondément remué par les événements d'Israël, après une conversation avec des amis journalistes, et il me demanda de but en blanc :

– De qui te sens-tu solidaire, dans ce match idiot à qui en tuera le plus ?

Je dis que c'était une longue histoire très compliquée, que celle des Israéliens et des Palestiniens, et que je ne me sentais pas autorisée à distribuer des louanges et des blâmes. Seulement à pleurer les enfants assassinés des deux côtés.

– Tu te défiles, me reprocha Denis.

– Non. Enfin, si. En vérité, je suis évidemment solidaire d'Israël parce que les ennemis des Juifs seront toujours mes ennemis. Et dis-toi qu'à la première occasion, ce seront les tiens. Il fond vite, le vernis sous lequel les goys nous traitent en amis ; tu n'as jamais vu ça, toi...

– Non, mais je m'en fous ! répliqua Denis. Je ne peux pas considérer les Palestiniens comme des adversaires, quoi que je pense de ce vieux bandit d'Arafat qui n'a jamais voulu la paix, seulement l'expulsion des Juifs d'Israël. Je connais des Palestiniens, j'ai de la sympathie pour certains d'entre eux qui sont très civilisés, je déplore leurs armes, mais je comprends leur combat. Leur destin de réfugiés les a durcis, polis comme de l'ivoire, ils sont très intéressants et capables... Mais le terrorisme me hérisse dans son principe même. Je le trouve non seulement odieux, mais bête. Regarde l'Irlande, regarde le pays Basque... Rien, on n'obtient que du sang et des larmes avec le terrorisme. L'usage des kamikazes, dans le cas qui nous occupe, est une ignominie. C'est l'exploitation éhontée de ces malheureux qui se suicident pour disposer au Paradis de soixante-dix vierges ! La pointe de l'anticivilisation, la barbarie pure... La langue a été donnée aux hommes pour qu'ils se parlent. Que ne se parlent-ils !... Cette situation de guerre met en cause quelque chose de vital pour moi. Si je ne suis pas un Juif d'opérette, je dois me battre auprès des Israéliens, fermer la bouche à ceux, terriblement nerveux et agressifs, qui les attaquent, parmi les inconditionnels des Palestiniens. Mais j'en suis revenu parce que je ne comprends pas la démarche de Sharon, sa stratégie. À mes yeux, il se fourvoie. Une stratégie n'est pas forcément mauvaise parce qu'elle fait des morts ; je n'appartiens pas à la collectivité respectable des sentimentaux, quelquefois, les morts, il en faut. Mais une stratégie est forcément mauvaise quand elle échoue. Or Sharon a déjà échoué puisque, après ses expéditions punitives, les attentats par kamikazes ont repris de plus belle... Non, je ne peux pas me déclarer solidaire d'un chef de guerre dont l'action, qui me répugne, est vouée à l'échec.

– Eh bien, ne déclare rien du tout : qui te force ?

– Tu ne comprends pas... Pour moi, m'engager pour Israël serait une sorte de sacre, de baptême du feu, si tu veux, le signe que j'aurais vraiment accepté d'être le fils de Sarah et de Michael Stern, le petit-fils d'une lignée de libraires autrichiens et de colporteurs hongrois, et non pas celui de Germaine et Paul Sérignac, exploitants agricoles dans le sud-ouest de la France...

– Je te comprends très bien, au contraire. Je peux te dire quelque chose de désagréable ?

– Vas-y.

– Comme tous les étrangers, tu as une vision fantasmée d'Israël, où se mêlent les pionniers laïques, les *kibboutzim* austères, les cultivateurs héroïques, les guerriers intrépides pour lesquels on a tremblé en 1947, et les martyrs, les très rares rescapés d'Auschwitz... Il y a toute une série de « figures » d'Israël qui sont exactes et attachantes, ô combien. De cet Israël-là, on a pu dire qu'il était la seule utopie réalisée dans l'Histoire et sa sécurité a été loin d'être acquise depuis la création de l'État en 1948. Tu me suis ?

– Oui. Vas-y !

– Ceux dont je viens de parler n'existent plus. Aujourd'hui, Israël est une démocratie turbulente réunissant des Juifs venus de partout, qui doivent apprendre l'hébreu pour se comprendre, qui ont peu en commun, vivent différemment leur religion selon qu'ils sont askhénazes, les plus nombreux, ou séfarades, et qui se détestent entre eux. Les travaillistes, qui croyaient gouverner pour l'éternité, ont perdu leur prééminence au bout de trente ans. Il y a vingt-neuf partis au Parlement, un État colonial, des colons qui s'implantent sur les terres que revendiquent les Palestiniens, et surtout – surtout ! – il y a des religieux, les plus orthodoxes, les plus intégristes, qui haïssent les femmes et exigent un respect maniaque de la Torah. Ils sont entretenus par l'État, font scandale quand un automobiliste se permet de circuler le samedi à Tel-Aviv, et ont assez d'élus au Parlement pour qu'aucun gouvernement ne puisse les négliger. Leur position est simple et incontournable : ce qui a permis aux Juifs de traverser les siècles, les continents, les massacres les plus abominables, et d'en émerger malgré tout, c'est l'observance minutieuse et même tatillonne des commandements religieux. Comme personne ne peut leur prouver le contraire, mais qu'il existe aussi dans le pays une forte tradition laïque, celle des fondateurs, les « hommes en noir » ne sont pas encore les maîtres d'Israël. Mais ils sont de plus en plus nombreux, parce qu'ils ont beaucoup d'enfants et aussi parce que certains, que l'avenir angoisse, les rejoignent. D'autant qu'ils font une propagande effrénée et se montrent de plus en plus exigeants. En Israël, tu trouveras beaucoup d'observateurs, d'historiens pour te dire que le danger religieux est le plus grave qui menace le pays, un danger qui passe même avant l'affrontement israélo-palestinien dont, au fond de soi, chacun sait qu'il mène inéluctablement à la partition, à la libération des Territoires, à la coexistence pacifique.

« Pour résumer, il y a aujourd'hui deux Israël : l'un moderne, dynamique, actif, créatif, celui qui apparaît à Tel-Aviv, généralement laïque, mais, individuellement, on peut être croyant sans devenir fanatique – c'est l'Israël de la *Shalom Valley* dont tu as sans doute entendu parler : Israël ne possède pas de pétrole, mais a de la matière grise, une formidable concentration de matière grise soigneusement cultivée depuis toujours et qui s'épanouit dans ce qui ressemble le plus à la *Silicon Valley* de Californie : quarante mille personnes et un niveau scientifique, une capacité d'invention et de création qui situent le pays à la troisième place mondiale après les États-Unis et le Canada... Avec quelques génies de l'informatique... Quand les Juifs soviétiques ont commencé à pouvoir sortir, l'émigration russe y a beaucoup contribué... Et puis il y a l'Israël des religieux : toute une population inactive, entretenue par l'État ; les hommes étudient la Torah, on peut faire cela toute sa vie ; les femmes font des enfants et la vaisselle, et ne se présentent jamais sans perruque, pour dissimuler leur chevelure... Il y a des Israéliens que ça rend fous, de payer les religieux ! Mais c'est le contrat d'origine qu'a accepté Ben Gourion alors qu'il ne pouvait probablement pas se passer d'eux.

« Lequel des deux Israël l'emportera ? Là-bas, les paris sont ouverts. Les événements actuels cachent la profondeur et la gravité de cet affrontement fondamental, mais c'est lui qui est décisif pour l'avenir de ce pays... »

Denis m'avait écoutée attentivement. Il avait même pris quelques notes pendant que je parlais. Il était surpris.

– Comment as-tu appris tout cela ? demanda-t-il.

– Comme toutes les femmes apprennent en dehors de l'Université : avec un amant israélien qui avait fait la guerre du Liban en 1982, une sale guerre... Je l'ai rencontré beaucoup plus tard, aux États-Unis où il était correspondant de presse... Il m'a alors expliqué beaucoup de choses. Puis je l'ai souvent revu à New York. J'ai toujours été fidèle à mes anciens amants...

– J'aimerais lire sur le sujet... Il existe un bon livre ?

– Il y en a plusieurs. Je te dirai lesquels[1].

– Tu n'as pas parlé de l'Armée... Tous ces généraux glorieux, ils pèsent de quel côté, en ce moment ?

– D'abord, ils sont presque tous morts, les héros : Dayan, Rabin... Sharon, tu sais ce qu'il en est. Mais, franchement, je n'ai pas d'informations en ce moment sur l'armée. Elle n'a évidemment plus le prestige d'autrefois, ni le sentiment si vif, qui la portait, d'être l'ultime protectrice du peuple juif, qu'avec elle on n'y toucherait plus. Aujourd'hui, elle est beaucoup moins populaire et fière. Petit événement dont on ne peut évaluer l'importance, il y a le mouvement des *refuzniks* qui a germé parmi les réservistes ; des hommes qui refusent de servir dans les territoires palestiniens occupés par Israël.

– Ils sont sanctionnés ?

– Pas à ma connaissance. Il y en a trop. On les fait servir ailleurs. Il y a quelques années, ç'aurait été impensable.

– J'aimerais bien les aider, lâcha Denis.

– Comment ?

– Je ne sais pas. C'est à eux de le dire.

---

1. Ce coup d'œil rapide sur Israël emprunte largement à l'excellent essai de Josette Alia, *Étoile bleue, chapeaux noirs : Israël aujourd'hui*, Grasset, 1999.

Une petite organisation qui se forme a toujours besoin d'intendance et d'argent. D'un journal, pourquoi pas ? Tu pourrais établir le contact ? Tu as un nom ?

– J'en connais deux. Ils étaient à Paris voici quelques jours. On m'a signalé leur présence. Passe-moi ton téléphone.

Elle manipula le portable, obtint un numéro où on lui en donna un autre, appela celui-ci, demanda Tamir Sarek et entama une conversation en hébreu qui se prolongea et fut pour Denis du chinois.

– Il quitte Paris demain. Il propose de te voir en Israël, si tu peux y aller.

– Pas cette semaine ; il y a la foire de Bâle... Plutôt vers la fin du mois. Qu'il me dise où et comment le joindre, pour que nous prenions rendez-vous.

Sarek m'a fourni quelques indications pratiques tandis que Denis s'agaçait de m'entendre prolonger cette conversation dans une langue qu'il ne comprenait pas.

Nous n'en avions pas encore fini, ce jour-là, avec Israël, bien que j'en aie eu... comment dites-vous en français ?... ma claque ! C'est bien ça ? Mais Denis ne m'a jamais laissée tomber, dans mes pires combats avec l'adversité, et je ne le laisserai donc jamais tomber dans son combat avec le « terrible Dieu des Juifs », comme on dit dans *Athalie*. (J'ai appris cela, Racine, dans une bonne école suisse...)

Donc, Denis voulait encore savoir à quoi ressemblait Israël. J'ai fait bref :

– Tu t'achèteras un guide... Jérusalem est sublime, baignée par la plus belle lumière du monde. Tel-Aviv : quelconque, mais gaie, vivante. Israël n'est pas un pays pauvre, mais ce n'est pas non plus un pays riche. Les rues de Tel-Aviv sont pleines de boutiques et de cafés, mais ce n'est pas le faubourg Saint-Honoré. Et puis, il y a les vieilles pierres et les Lieux saints qui racontent tous une histoire connue depuis l'enfance. Ça, c'est très émouvant.

– Encore une question – et ne te moque pas de moi, s'il te plaît : suis-je askhénaze ou séfarade ?

– Tu ne t'en doutes vraiment pas ? La famille de ton père vient de l'Est : askhénaze, donc. Sarah est sûrement séfarade espagnole ou portugaise… Mais sois tranquille : si, un jour, une police t'interroge sur ce point, elle ne fera pas la différence ! Quoi d'autre, mon capitaine ?

– Rien. Tu as une patience d'ange. Viens, on va aller entendre un peu de jazz. Tu peux reboire du champagne, maintenant ?

– Modérément, mais je savoure…

Plus tard dans la soirée, dénoué par une petite heure de piano, Denis a demandé :

– Est-ce qu'on oublie quelquefois tout ça ?

– Tout quoi ?

– Comment dire… sa filiation ?

– On n'y pense pas tous les matins, ou alors c'est qu'on ne va pas bien ! Mais, dans le courant de la vie, il y a des circonstances parfois bizarres qui rappellent d'où l'on vient.

– Ce qu'il y a de particulier, avec moi, dit Denis, c'est que, dans mes souvenirs, depuis le plus ancien, je suis le fils bien-aimé d'Agnès et Romain Sérignac, et que les Stern me seront toujours une famille étrangère, connue sur le tard, dont je ne me suis jamais senti l'enfant. Même Sarah, que j'aime plus que tout…, c'est elle qui est mon enfant, que j'ai choisi de protéger parce que sa beauté et sa vulnérabilité m'ont ému… Alors, qu'est-ce que j'ai à voir avec Israël, et de quoi vais-je me mêler ?

— Si tu continues, demande une autre bouteille de champagne, répondit Bess, car je vais en avoir besoin. Ce que tu fais, ça s'appelle en bon français déconner, et je commence à penser pour la première fois que tu es vraiment juif, pour te montrer aussi ratiocineur ! Tu as quarante ans, un métier magnifique qui te procure de gros moyens, tu les utilises souvent au bénéfice des autres, et dans tout un milieu on te tient pour un mécène discret, espèce rarissime. Il se passe en ce moment dans le monde quelque chose que tu ressens comme une tragédie, et tu veux agir. Alors vas-y ! Fonce ! Et cesse de penser à ton enfance, à tes parents vrais ou faux, à toute cette bouillie pour les chats !

Il commençait à me mettre hors de moi, cet enfant gâté !

— Bâle va te changer les idées, tu en as besoin.

— Oui, mais je suis préoccupé par Sarah. Cela m'inquiète de la laisser seule. Toutes ces histoires dont je ne peux la protéger — elle lit les journaux, elle regarde un peu la télévision — ont réactivé ses angoisses : ces synagogues brûlées, ces magasins juifs attaqués, je ne sais quoi… elle me supplie de ne pas mettre les pieds à Paris, elle voit la Gestapo derrière chaque uniforme… Le jour, elle est à la galerie, mes assistants sont parfaits avec elle, ils l'aiment beaucoup ; c'est quand la nuit tombe que la peur l'envahit... Tu connais son histoire...

– Vaguement.

– D'après ce que j'ai pu en reconstituer, à cinq ans elle a vu son père abattu par un type en uniforme. Le père criait : « Je suis un officier français décoré de la Croix de guerre, j'étais à Verdun, vous n'avez pas le droit de m'arrêter ! » Le type s'est énervé, il a tiré dans la tête et a embarqué la famille Berger, c'est-à-dire la mère de Sarah, son frère de quinze ans et une petite sœur. Sarah s'était faufilée sous le piano à queue. La mère eut le sang-froid de ne pas l'appeler. Elle n'est jamais revenue. La petite sœur non plus. La scène se passait à la campagne, dans la maison des Berger qui ne se cachaient pas. Bien qu'il fût juif, le père n'avait jamais admis qu'il pût être en danger, avec ses titres de guerre. Sarah est restée trois jours à côté du corps de son père qui n'en finissait pas de mourir. Quand elle a compris que personne ne viendrait la chercher, elle a couru jusqu'à la ferme voisine pour demander à manger. La fermière était une brave femme, elle a tout de suite compris ce qui s'était passé. Elle a dit à Sarah : « Tu peux rester ici, mais ne te montre pas. Ils ne viendront pas te chercher parmi les vaches et les cochons. » Elle dormait dans les étables, mangeait avec les bêtes. Quand son frère, rescapé de Buchenwald, est rentré, très amoché, il a retrouvé un petit animal sauvage... Il a récupéré l'imprimerie volée à sa famille et, dès qu'il a eu un peu d'argent, il a mis Sarah en pension pour qu'on la civilise. Et puis la phtisie l'a emporté. Il n'a pas eu le temps d'apprendre qu'en pension les filles appelaient Sarah « la Juive idiote », parce qu'elle ne savait pas lire, ni écrire, ni se servir d'une fourchette. Néanmoins, c'est là qu'elle fut sauvée. Quand la directrice de l'établissement a découvert la vivacité de son intelligence, elle l'a prise sous son aile… Plus tard, elle a passé de grands concours, comme tu sais, mais ce qu'elle a fait en remettant son bébé à l'Assistance publique pour qu'il ne connaisse jamais le malheur d'être juif, donne la mesure de sa fragilité, de cette terreur qu'elle charrie… C'est pourquoi je la garde à Londres où il y a moins qu'en France de prétextes à nourrir ce qu'il faut bien appeler sa paranoïa, quand elle nous voit, elle et moi, cernés d'ennemis mangeurs de Juifs… Ici, il y a moins d'occasions de réveiller ces démons dont elle semblait d'ailleurs délivrée. Et puis, l'écho des incidents provoqués par la guerre en Israël l'a à nouveau perturbée… J'ai peur qu'un soir, seule, elle ne fasse une bêtise…

— Je suis encore à Londres pour une grosse semaine, lui dis-je. Tu connais Lord Howton, le type qui collectionne des Vierges ? Il m'a chargée de vendre sa collection pièce par pièce, en sélectionnant rigoureusement les acheteurs. Il ne veut pas voir ses Vierge tomber entre des mains de femmes…

— Il est cinglé ! s'esclaffa Denis. C'est un grand cinglé…

— Oui, mais en ce moment, j'en vis assez bien. Donc, je suis là, et si cela peut te rassurer, je suis prête à aller passer deux heures, chaque soir, avec Sarah, à l'instant où la nuit tombe, où la galerie ferme et où les cauchemars se lèvent…

— Tu feras ça pour moi ?

— Qu'est-ce que je ne ferais pas pour toi ? L'ennui, c'est que ça te donne de mauvaises habitudes…

– C'est vrai qu'il y a toujours une femme délicieuse – toi, Sarah, Marie… – pour aplanir mon chemin, mais ne raconte pas que je suis un tyran, j'ai horreur de ça !

Il me tuait !

– Écoute, on ne va pas élucider ce soir la nature de tes relations avec les femmes – ni celles que tu caches, ni les autres ! Raconte-moi plutôt ce que tu vas montrer à Bâle pour soutenir ta réputation…

15

À la foire de Bâle, temple de l'art moderne, se retrouvent tous les ans environ deux cent cinquante marchands – ceux qui ont les reins assez solides –, les œuvres d'un millier d'artistes et les collectionneurs les plus gourmands. Cette foire est née à l'initiative d'un marchand suisse, Ernst Beyeler, qui possède lui-même en ville l'une des plus belles collections privées du monde. Il n'existe rien d'équivalent ailleurs. Chaque grand marchand expose, sur son stand, sa ou ses pièces les plus précieuses et rares, qu'il propose à des prix flirtant avec le million de dollars ou davantage, plus quelques-unes moins exceptionnelles.

Denis, en habitué, arriva après ses deux collaborateurs, Franck et Tom, qui l'attendaient pour procéder à l'accrochage d'un triptyque de Francis Bacon, sompteux, d'un De Kooning, enchanteur, d'un Warhol époustouflant et d'aquarelles d'un jeune artiste inconnu qu'il avait repéré en Allemagne. Il donna ses instructions et s'en fut faire un tour des lieux, prendre contact avec ses confrères. Tous semblaient d'accord pour penser qu'il y avait, cette année-là, peu à découvrir parmi les contemporains, et qu'en l'absence de fortes personnalités on allait forcément assister à un retour aux grands classiques modernes. Ceux-ci partaient à des prix impressionnants : un Sam Francis avait été réservé dès l'ouverture à cinq millions de dollars.

Denis circula entre les stands, dans l'immense surface, pour voir si quelque chose lui donnait ce léger pincement au cœur sans lequel il ne faut pas acheter. Il tomba sur un petit Paul Klee, mais la toile était déjà réservée par un collectionneur à trois millions de dollars.

De retour à son stand, il apprit qu'un acheteur avait réservé le De Kooning, et qu'un autre s'intéressait au Bacon – mais celui-ci, qui avait laissé son nom, Karlsen, entendait marchander.

– On lâche à quel prix ? demanda Tom.

– On ne lâche rien, répondit Denis. Il n'y a pas un autre Bacon de cette qualité sur le marché. Et pas un ici, exception faite de celui qui figure dans la collection personnelle de Beyeler, lequel ne vend pas. Ce Karlsen, je le connais : ce qui le fait jouir, ce n'est pas la peinture, c'est le marchandage.

Les deux jeunes gens étaient toujours bluffés par la façon dont ils voyaient Denis manier l'argent. Généreux, mais implacable quand on essayait de le rouler, connaissant le prix de la peinture à cent dollars près, sachant investir aussi bien qu'il savait acheter, jamais grisé, en dépit des sommes fabuleuses qui lui passaient entre les mains…

Karlsen avait annoncé qu'il reviendrait à quatorze heures. Denis envoya ses commis déjeuner.

– Et rapportez-moi quelque chose à bouffer, un bout de pain et du fromage, pas ces infâmes sandwiches sucrés qui circulent ici…

Karlsen, il allait s'en occuper. En fait, c'était une vieille connaissance. Il l'avait connu vingt ans plus tôt, à New York, quand ce forban, très riche déjà, avait essayé de déposséder Castelli chez qui Denis apprenait son métier. Castelli avait traversé une période noire, la peinture ne se vendait pas et il avait malencontreusement joué en Bourse pour se refaire, au lieu de quoi il n'avait fait qu'aggraver les choses. Karlsen, qui était client de la galerie, lui avait proposé de l'aider en lui ouvrant un crédit considérable. Six mois après, il réclamait le remboursement de ses avances ; à défaut, il exigeait de se payer sur la bête, c'est-à-dire sur le stock de la galerie. Il l'estimait de surcroît à des prix dérisoires, d'autant plus volontiers qu'il s'agissait souvent de jeunes artistes achetés par Castelli avec beaucoup de discernement, mais pas encore très cotés, comme ils allaient le devenir…

À l'époque, c'est Denis qui avait eu l'audace d'alerter un autre client de la galerie, banquier d'affaires. Celui-ci avait désintéressé Karlsen et remis Castelli à flot jusqu'à ce qu'il puisse repartir du bon pied.

Denis avait oublié cette histoire jusqu'à ce que l'affreux personnage ose venir convoiter son Francis Bacon… Quand il se présenta, Karlsen ne reconnut pas Denis à qui il n'avait jamais accordé un regard lorsqu'il n'était que le commis de Castelli. Il commença par couvrir d'éloges le choix des pièces présentées, puis se déclara intéressé par le triptyque de Bacon, mais plein de questions, néanmoins. De quelle année au juste était-il ? Hum, ce n'était pas la meilleure… N'y avait-il pas dans le panneau de droite une utilisation de rouge suspecte ? Denis était-il sûr que Bacon avait lui-même

141

fini l'œuvre avant sa mort ? Qu'elle n'avait pas été terminée par quelque assistant ? De menus détails, que Karlsen désignait, pouvaient le donner à penser, n'est-ce pas ?

L'astuce du bonhomme pour semer le doute, dénigrer la toile, était assez étonnante. Denis, qui connaissait cette pièce depuis toujours – et qui avait connu Bacon lui-même – ne risquait pas d'être ébranlé, mais il se tut pour laisser venir Karlsen. Et il vint, en effet :

– Tout ceci ôte un peu de sa valeur à cette pièce superbe, soupira-t-il, l'air profondément attristé. On m'a dit que vous en vouliez dix millions de dollars ?

– C'est exact.

– À huit millions, je fais une folie, mais je vous la prends dans cet état, monsieur Sérignac... Eh bien, que dites-vous ?

– Vous souvenez-vous de Castelli, monsieur Karlsen ?

– L'Américain ? le marchand de tableaux ? Oui, je l'ai vu autrefois. Pourquoi ?

– Il m'a téléphoné, tout à l'heure...

– Impossible, il est mort !

– Il est mort, mais il m'a téléphoné. Et il m'a dit : « Petit, si tu vois Karlsen à Bâle, où il va souvent traîner, mets-lui ton pied au cul !... » Mon Bacon est parfait, et vous le savez. Alors, je vous prie de quitter mon stand et de ne pas y revenir, parce que je pourrais me montrer moins gentil et raconter vos manigances...

Karlsen eut un geste de fureur, Denis crut qu'il allait le frapper, mais des visiteurs entraient sur le stand et il s'éloigna.

Les deux commis revenaient de déjeuner, apportant un sandwich au gruyère sur lequel Denis se jeta. Il leur raconta la scène avec l'affreux Karlsen. Ils jubilaient : il était bien, le patron !

L'intermède bâlois fut salutaire à Denis. Grasse et tranquille, la Suisse était une étape bienfaisante. Il revint en ayant quasiment tout vendu et bien acheté, il avait passé quelques heures agréables avec des hommes et des femmes du métier, et pas un instant il n'avait été question d'Israël, ouf !

Mais la trêve fut brève.

À peine rentré à Londres, un appel de Marie lui apprit que Denis le Petit avait eu un accident avec sa moto. Renversé par une voiture. Le conducteur l'avait fait transporter à l'Hôpital américain, puis s'était évanoui dans la nature.

– Ça n'est pas *très* grave, précisa Marie sur son portable, mais *assez* grave.

Denis prit à peine le temps de prévenir Sarah et de changer de chemise avant de sauter dans le premier train. S'il avait eu des doutes sur l'attachement qu'il portait à son garçon, il les aurait à cet instant perdus. *Assez* grave... Dans la bouche de Marie, toujours mesurée, cela signifiait *grave*. C'est lui qui avait offert au garçon cet engin qu'il désirait si fort ; ç'avait été une faute, évidemment. Trop jeune... Comment font les parents pour résister aux désirs de leurs enfants ? Mais il faudrait plutôt dire : pour résister au plaisir de recevoir de l'amour en échange d'un cadeau : c'est aussi bête que ça. Marie aurait dû s'y opposer ! (Bientôt, à ce train, ç'allait être la faute de Marie...)

Quand il arrive à l'hôpital, il trouve Denis le Petit sous l'effet d'un antalgique très puissant, administré parce qu'il souffre beaucoup. Il a une jambe plâtrée très haut, une épaule et un avant-bras également dans le plâtre, une grande écorchure au visage et quelques côtes cassées, dit-on à Denis, mais on ne plâtre pas des côtes...

Denis le Grand est assommé. Il pose ses lèvres sur la joue brûlante du garçon, demande s'il l'entend.

– Non, répond l'infirmière, il dort, on a fait ce qu'il fallait pour cela.

– Quel est le pronostic ? réinterroge Denis. Vous le connaissez ?

– Hier, on a eu peur d'une fracture du crâne ou d'un enfoncement de la cage thoracique, mais, de ce côté-là, il n'y a rien de cassé. Le reste, ça se répare. Il subsiste une inquiétude sur un rein. Et puis, il gardera peut-être une jambe plus courte que l'autre...

Elle quitta la chambre, laissant Denis étranglé par une émotion qu'il ne pouvait pas partager.

« C'est bête, se dit-il, un homme dans une chambre d'hôpital au chevet d'un blessé. Seules les femmes savent attendre, s'asseoir calmement, tricoter... »

De faibles gémissements l'avertirent que Denis le Petit reprenait conscience et retrouvait sa douleur ; il remua la tête, aperçut son père penché sur lui et murmura :

– J'ai fait le con, hein ?...

– Oui, répondit Denis le Grand.

– Je suis très amoché ?

– Assez, mais rien de grave.

144

– Tu jures ?

– Je jure.

Le garçon souffla encore : « C'est bien, que tu sois là »,
avant de retomber dans sa torpeur.

L'infirmière avait laissé à côté de lui une pilule à lui
donner s'il se plaignait de souffrir. Denis hésitait lorsque,
enfin, Marie parut.

– J'ai cru que tu ne viendrais jamais, lui dit-il. Je me suis
rarement senti aussi seul que cet après-midi en t'attendant ici.

– En somme, il y a deux bébés dans cette chambre ! lança
Marie, moqueuse.

Denis le Grand voulut connaître les circonstances exactes
de l'accident. Marie les lui décrivit. Denis le Petit en était
entièrement responsable.

– Au point que je me demande dans quelle mesure il ne l'a
pas provoqué... Dans quelle mesure il n'a pas voulu nous
signifier que nous avions négligé de l'éclairer sur des mystè-
res qu'il sentait sans les comprendre. Nous avions pourtant
pris de bonnes résolutions ; je ne sais qui est le plus responsable de ne les avoir pas tenues, toi ou moi. Les deux, je crois
honnêtement...

– Non, dit Denis le Grand, c'est moi. Parce que c'est moi
qui ai des choses difficiles à dire à mon fils. Très difficiles...
Toi, tu n'as rien à te reprocher, Marie, rien.

Le médecin arrivait, accompagné du chirurgien. Celui-ci
fit les gestes de routine sur le corps du garçon, posa les questions de routine à l'infirmière – « Et n'oubliez pas de le faire
boire : il faut qu'il boive beaucoup... », comme si elle avait
une tête à oublier –, puis il s'éclipsa, appelé à l'extérieur.

Le médecin allait le suivre, mais Denis n'y tint plus. Il se présenta et indiqua sèchement qu'il serait heureux d'avoir quelques informations précises sur l'état de son fils. Le médecin sembla alors prendre acte de sa présence et de celle de Marie.

– J'ai déjà parlé avec madame, ce matin, répondit-il. La situation n'a pas évolué depuis. Elle exige des soins. Des complications peuvent se déclarer. De toute façon, comme je lui ai précisé, il est improbable qu'il puisse quitter l'hôpital avant trois semaines.

– On m'a parlé d'une jambe plus courte que l'autre…

– *No comment*. On verra. Il y a un risque, ce n'est pas fatal… Je suppose que vous avez demandé une garde de nuit ?

– Oui, confirma Marie, la même qu'hier.

Le médecin échangea encore quelques mots avec l'infirmière, puis prit congé.

– Que faisons-nous ? demanda Denis. On reste ici ?

– Ça n'a pas grand sens, répondit Marie, mais, en même temps, j'ai peur qu'il se réveille seul… L'infirmière part à cinq heures. Je vais demeurer là jusqu'à l'arrivée de la garde de nuit.

– Je reste avec toi, décida Denis. Je vais seulement donner deux ou trois coups de téléphone. Et peut-être réussiras-tu à obtenir de cet établissement deux chaises un peu plus confortables… Et puis du thé, demande du thé !

Marie appela l'infirmière pour essayer de négocier le tout, le thé et les fauteuils. Elle fut exaucée.

Les jours suivants furent pénibles, jusqu'à ce qu'ils fussent rassurés sur l'état du rein, dernier sujet d'inquiétude : il n'était pas lésé. Le reste, tout le reste pouvait « se réparer », comme disait l'infirmière, la dose d'antalgiques fut baissée et Denis le Petit retrouva une élocution fluide.

Marie et Denis bousculèrent l'un et l'autre leurs agendas respectifs pour être avec lui le plus souvent et le plus longtemps possible. Tantôt ils se relayaient, tantôt ils venaient ensemble, et c'était manifestement ce que Denis le Petit préférait.

Ils décidèrent alors que cette situation très particulière dans laquelle ils se trouvaient tous trois était propice à l'« opération vérité » à laquelle ils avaient le devoir de se livrer.

Plus de deux semaines s'étaient écoulées. Avec la force vitale de la jeunesse, Denis le Petit ne portait plus trace sur son visage des douleurs passées, seulement une estafilade qui ne le déparait pas. La question se posait à présent de savoir où il passerait sa convalescence.

– Qu'est-ce que tu dirais d'aller chez Agnès et Romain ? lui dit Denis. Ils te soigneront comme un coq en pâte...

– Ça me va, répondit le garçon.

– Marie, tu approuves ?

– J'approuve.

– Alors, reprit Denis le Grand, je m'en vais t'apprendre quelque chose, petit Denis : c'est qu'Agnès et Romain ne sont pas tes vrais grands-parents. Parce que je ne suis pas leur vrai fils. Je suis un enfant de la DDASS.

– C'est quoi, la DDASS ? émit Denis le Petit d'une voix blanche.

– C'est ce que, dans les romans populaires, on appelle l'Assistance publique, là où on laisse les enfants abandonnés.

Agnès et Romain m'ont trouvé là, ils m'ont adopté, m'ont donné leur nom, m'ont élevé comme les meilleurs parents du monde. Et ils m'ont appris la vérité pour mes vingt ans.

Denis le Petit restait sidéré. C'est sur sa propre naissance qu'il avait fantasmé, dans son trouble : comme souvent les enfants, il aurait appris sans véritable étonnement qu'il était le fils naturel du prince Charles, mais là, il tombait des nues !

– Si vous n'êtes pas mes vrais parents, il faut me le dire tout de suite, pendant qu'on y est !

C'est Marie qui lui répondit :

– On te le dirait tout de suite, pendant qu'on y est. Mais il faut te résigner, mon vieux : je suis bien ta mère, et Denis est bien ton père, avec des yeux dont le bleu est votre marque de fabrique à tous deux. Tu n'es pas un enfant volé dans un couffin porté par une princesse…

Le garçon eut un petit rire, parce que, en effet, il avait parfois imaginé des choses… Sa mère était terrible : elle devinait toujours tout. Méfiant, il demanda :

– Pourquoi je m'appelle Denis de Groot et pas Denis Sérignac, comme mon père ?

– C'est un désir de ta mère, répondit Denis le Grand. Les femmes sont comme ça, aujourd'hui. Si tu as envie de changer, tu peux essayer d'arranger ça avec elle ; moi, je ne fais pas d'objection.

– Non, dit le garçon ; si c'est régulier, ça va comme ça. Ma grand-mère de Groot, qui est folle – vous savez qu'elle est folle ? –, m'a raconté que je descendais d'une maîtresse hollandaise de Louis XIV…

– Allons bon ! gémit Marie. Il ne nous manquait plus que ça !

Mère et fils partirent tous les deux d'un bon fou rire. La vieille dame de Groot vivait heureusement à dix mille kilomètres de là et n'intoxiquait Denis le Petit de ses affabulations qu'une fois l'an, quand elle venait en France passer Noël.

Mais le plus dur n'était pas encore fait.

– Tu dois aussi savoir que mes vrais parents étaient juifs, reprit Denis le Grand. Donc, je le suis aussi, bien que je ne l'aie appris que très tard.

– Quelqu'un me l'a déjà dit, mais je ne l'ai pas cru, fit le garçon.

– Pourquoi ? Ce n'était pas si extraordinaire…

– Et moi, qu'est-ce que je suis, dans tout ça ?

– Toi, tu choisiras.

Marie lui expliqua que, chez les Juifs, c'est la religion de la mère qui détermine celle des enfants, et qu'elle-même étant catholique, Denis le Petit était libre de choisir.

– Nous suggérons, lui dit-elle, que tu attendes un peu, que tu réfléchisses, que tu prennes quelque distance avec toutes ces révélations, et puis, dans quelques années, tu décideras par quoi tu te sens en phase. Qu'est-ce que tu en dis ?

– Correct, acquiesça Denis le Petit, un peu sonné tout de même. Vous avez encore beaucoup de choses à m'apprendre ?

– Rien qui ne puisse attendre, sourit Marie. Pose des questions, si tu en as.

– Merci bien, dit Denis le Petit. Pour aujourd'hui, j'ai mon compte... Je crois que je vais dormir un brin.

Il était toujours plâtré. Marie l'aida à trouver dans son lit une posture tenable.

– Je vous laisse, ajouta-t-elle. J'ai à cinq heures un conseil d'administration que je ne peux décaler. À demain...

Elle s'approcha pour embrasser son fils.

– Tu as changé de parfum ? lui dit-il.

C'est la voix de Denis le Grand qui lui répondit :

– Oui, elle a changé de parfum sans même nous consulter !

– Ça alors ! s'écria Marie, amusée. Vous êtes incroyables, tous les deux !

Elle disparut.

Denis le Grand avait apporté une pile de journaux dans lesquels il se plongea, allongé sur le lit de secours que l'infirmière compatissante avait obtenu pour lui.

Il se dit que, curieusement, cette chambre d'hôpital était le premier lieu où il avait en somme vécu avec Marie et Denis le Petit une vie de famille dans une proximité qu'il avait toujours esquivée. Cela n'avait pas été désagréable, et, à certains moments, il y avait même eu entre eux trois une sorte de complicité amusée : pour se moquer du médecin aux airs pompeux que le garçon imitait bien (il avait le don de l'imitation) ; pour taquiner Denis lui-même, grand insomniaque, que l'on ne pouvait jamais surprendre en train de dormir, sauf à l'heure précisément où il fallait se réveiller ; pour faire enrager Marie qui refusait toujours de dire qui était l'homme en compagnie duquel Bess l'avait rencontrée à New York...

Les derniers jours, ils avaient aussi eu des conversations plus sérieuses sur l'avenir immédiat de Denis le Petit qui devait théoriquement passer un bachot en juin. Pourrait-il rattraper le temps perdu, fallait-il essayer, ou perdre délibérément un an ? Lui souhaitait tenter le coup, moyennant peut-être le soutien de quelques cours particuliers...

À l'issue d'une de ces conversations sur des problèmes pratiques, Marie avait lancé à Denis le Grand :

– Tu me fais rire, en père de famille... Ce n'est pas ton emploi, comme on dit au théâtre, mais tu fais ça très bien...

– Ce doit être le sang juif, répondit Denis. Pour une fois qu'il me sert à quelque chose...

En tout cas, après les révélations faites à Denis le Petit, qui avait ensuite posé plusieurs fois des questions, mais sans agressivité, comme un voyageur en quête de repères pour tracer son chemin, le climat était à la détente et à l'humour.

Encore quelques jours, et une ambulance emmènerait Denis le Petit dans le Périgord. Marie l'accompagnerait. Denis le Grand les y rejoindrait après avoir fait un saut en Israël pour rencontrer Tamir Sarek et ses amis.

Le Monde qu'il tenait en main annonçait trente morts à Jérusalem à la suite d'une explosion par kamikaze interposé.

« Ce que je vais faire est dérisoire, se disait-il, dérisoire par rapport à l'ampleur qu'ont pris les haines en présence... Mais il faut tout essayer. »

16

Son séjour à Tel-Aviv fut bref. En ville, dans un petit appartement pauvrement meublé, il fut reçu par trois hommes surexcités qui parlaient tous couramment l'anglais. L'un d'eux seulement paraissait découragé. La veille, le gouvernement avait rappelé trente mille réservistes d'une zone déterminée. D'ordinaire, il y avait toujours quelques défections pour cause de maladie. Cette fois, on en avait espéré de nombreuses en réponse à l'appel des réfractaires. Il n'y en avait pas eu une seule. Pas une ! Un Israélien ne se dérobe pas quand il croit Israël en danger.

– Qu'est-ce que vous voulez faire dans ce foutu pays ! marmonna Tamir d'une voix amère.

Le chiffre global de ceux qui avaient déjà répondu à leur appel était faible, très faible.

Denis exposa rapidement ce dont il s'était déjà entretenu par téléphone avec Tamir : il était là pour voir comment les aider, pour concevoir avec eux une véritable campagne, ce qu'il savait faire, voire pour financer l'installation d'une radio clandestine mobile. Il faudrait trouver un technicien ; cela ne devait pas manquer, dans ce pays ! Peut-être aussi créer un site Web…

Apparemment, ils n'y avaient pas pensé, mais ils étaient soudain tout alléchés.

– Réfléchissez, dit Denis, ayez des idées. À mon retour, je vous envoie des fonds par un messager personnel qui se mettra à votre disposition et fera la liaison entre nous.

Ses interlocuteurs paraissaient maintenant dénoués, confiants en cet ange qui leur tombait du ciel – enfin, presque confiants…

– Je suppose qu'il vaut mieux ne pas parler de tout cela par téléphone ? questionna Denis.

– Oh, répondit l'un des « réfractaires », le gouvernement et l'armée sont parfaitement au courant de notre existence et de notre volonté d'expansion. Mais Israël est un pays démocratique, ajouta-t-il fièrement, et on ne nous traite pas en coupables parce que nous désapprouvons des actions militaires sur des terres qui ne sont pas à nous… Nous refusons le colonialisme !

– Je vous ai bien compris, répliqua Denis, mais, même dans les pays démocratiques, il arrive qu'on trouve des coupables là où on ne devrait pas… Alors, soyons prudents !

Il quitta les trois lascars avec des sentiments mitigés. Sympathiques, ils l'étaient énormément. Seraient-ils capables de coaguler une part significative de l'opinion ? Il songea que tous les mouvements de résistance à un pouvoir installé avaient commencé comme ça, avec deux ou trois types déterminés, et qu'il fallait donc faire confiance.

Il dit au chauffeur qui l'attendait de le suivre, et marcha jusqu'à la plage à travers la ville claire, toute blanche, ensoleillée de Tel-Aviv qui dressait vers le ciel ses beaux immeubles modernes le long d'avenues bordées d'arbres et ourlées de cafés bondés. Il croisa des piétons à rollers, des filles en minijupes, faillit se faire écraser par un cabriolet décapoté d'où s'échappait un rap hurlant, n'aperçut pas un seul Noir, pas une barbe, longea une foule d'agences de voyages offrant du rêve, des restaurants chinois ou italiens, surprit plus de brutalité dans les gestes et les attitudes qu'à Londres ou Paris, moins qu'à New York, mais c'était la même population, avec les mêmes vêtements, sur le même fond musical... Zéro pour l'exotisme.

Fallait-il venir de si loin pour voir cela ?

Denis rit de lui-même, de son étonnement devant cette ville ultramoderne et sans âme, comme tout à l'heure devant ces résistants à l'avenir improbable.

S'était-il laissé intoxiquer par Bess ? Mais non, il avait succombé au désir puéril de devenir juif par quelque action d'éclat. Au pire, cela se traduirait par un gros chèque comme d'habitude...

Il pensa à Agnès. « Souviens-toi qu'il est toujours plus facile de faire du mal que de faire du bien, lui répétait-elle quand il était petit. Faire du mal est à la portée de tout le monde, à tout instant. Mais faire du bien, c'est drôlement plus difficile ! » Il avait peut-être dix ans quand elle avait commencé à lui tenir ce genre de discours... Ce « bien » qu'il tentait de faire ici n'était peut-être, après tout, qu'une satisfaction égoïste qu'il voulait se donner... Mais le voilà qui *ratiocinait*, comme disait Bess, ce sport auquel les Juifs excellent par-dessus tout !

Il rejoignit le chauffeur qui l'attendait, et demanda :

155

– Est-ce que nous pouvons encore aller à Jérusalem, ce matin ?

– Bien sûr, mais il sera trop tard pour déjeuner. Je peux téléphoner, si vous voulez…

– Aucune importance, dit Denis. Allons-y. Je ne vais pas à Jérusalem pour faire un gueuleton !

L'arrivée dans la Ville d'or, qu'il croyait connaître tant il avait lu et entendu à son sujet, le prit au cœur. Si une ville a une âme, c'est bien Jérusalem, sans compter que chaque voyageur y vient avec des images, des récits, des lectures en tête, qu'il va chercher à vérifier. Le chauffeur avait trouvé un guide individuel pour Denis – « le meilleur », avait-il dit –, et l'homme était en effet intelligent, sans obséquiosité, ce qui est plutôt rare en Orient.

– Vous disposez de combien de temps ? lui demanda-t-il.

– Deux heures. Je dois reprendre l'avion pour Paris.

– Ce n'est pas bien long, deux heures, pour voir Jérusalem… Mais je vais vous combiner un menu…

Moins de deux heures plus tard, Denis demandait grâce, gavé de temples et d'églises, fasciné par le mur des Lamentations ; on lui avait enseigné dans son enfance que Jésus avait passé là ses derniers jours sur terre, que ce site était celui de la Cène, cet autre celui de la Crucifixion, de la Résurrection… Il était assailli de réminiscences par tout ce qu'il voyait, où se croisaient l'histoire chrétienne, l'histoire musulmane, l'histoire juive, si étroitement entremêlées…

Il récompensa généreusement son guide et sauta dans son taxi, pressé par le chauffeur qui connaissait les charmes des aéroports israéliens où des heures se passent en contrôles minutieux – bien heureux si on ne vous déshabille pas de la tête aux pieds ! Les opérations, cette fois, durèrent plus de trois heures.

Denis était exténué quand il arriva enfin chez lui. Sans égaler les délais israéliens, le retour de Heathrow, l'aéroport de Londres, est un cauchemar dont le tunnel sous la Manche a débarrassé les voyageurs en provenance de France. L'aviation, se dit Denis en se lavant les dents, c'est parfait en l'air, mais ça ne va plus du tout une fois à terre. Et ça ne peut qu'empirer ! On va construire des appareils de plus en plus gros, qui transporteront de plus en plus de gens, donc tous les délais d'embarquement vont être encore étirés, et au surplus on vous débarquera à trois heures de route de la ville où vous voudrez aller. Tu parles d'un progrès !

Parce qu'il était fatigué, il rabâchait dans sa tête ces considérations sans intérêt, mais qui lui étaient familières dès qu'il était confronté à ce qu'on appelle le « progrès ». Il usait largement de toutes les avancées induites par la technologie, mais cela ne l'empêchait pas de professer que le progrès n'est qu'une façon de changer de malheur.

Et peut-être bien qu'il n'avait pas tort.

17

Dans le Périgord, la vie s'était organisée sans Denis, retenu à Londres par des affaires qu'il avait trop négligées au cours des dernières semaines. Phénomène bizarre : quand un patron s'absente trop longtemps, même si on a l'impression qu'il ne fait pas grand-chose, tout se détraque. Il s'appliqua donc à une reprise en main.

Entre-temps, une véritable histoire d'amour s'était nouée entre Denis le Petit et Romain Sérignac sous les regards attendris de Marie et d'Agnès. Le garçon ne pouvait pas encore se déplacer, il était à demi allongé, Romain restait de longues heures à ses côtés, dans le jardin embaumé, sous les branches ployées du grand chêne et les feuilles plates du figuier, et Denis découvrait avec le vieil homme l'univers de la culture.

Jusque-là, il n'était encore qu'un enfant quand ils s'étaient rencontrés un peu longuement. L'homme et le jeune garçon n'avaient pas grand-chose à se dire. Mais, à dix-sept ans, doué d'une bonne curiosité, Denis le Petit était l'interlocuteur rêvé pour un homme qui naviguait joyeusement à travers l'Histoire, la littérature, la peinture – et accessoirement le droit, mais de cela il ne parlait pas avec Denis le Petit. Pourtant, en ce domaine-là aussi, cet ancien magistrat avait des histoires à raconter… Au bout de cinquante ans de mariage, Agnès était blasée, mais Marie écoutait Romain, elle aussi enchantée. Elle aimait ce vieux monsieur qui n'avait jamais laissé son esprit se dessécher et qui fécondait maintenant celui de Denis le Petit après avoir fécondé autrefois celui de Denis le Grand.

La vie dans la maison était plaisante. Les Sérignac avaient fait restaurer cette vieille demeure familiale avec l'aide de Denis. Tout y était simple, mais bien conçu en fonction du climat, le confort et le silence assurés. On prenait les repas à la cuisine, une pièce bien équipée, et une femme du village venait sur sa bicyclette donner un coup de main. On regardait peu la télévision, chez les Sérignac. En revanche, on lisait beaucoup. Grâce à un nouveau professeur de français, Denis le Petit avait découvert avant son accident la magie de la littérature et il piochait sur tous les rayons avec un appétit qui comblait Romain, affligé jusque-là par l'inculture de son petit-fils.

Un jour, il demanda d'un air soucieux :

– Y a-t-il des grands écrivains juifs que je devrais lire ?

– Sûrement, dit Romain. Spinoza, Montaigne, Bergson. Je te ferai une liste. On peut aussi y mettre Saint Paul !

– C'est plutôt austère, ce que tu me proposes ! fit Denis le Petit.

– Dans les contemporains, il y a Proust, toute l'école juive américaine, qui est brillante. Il y a Isaac Singer, Kafka, bien sûr, Zweig… Qu'est-ce que tu cherches exactement ? Juif, ça n'est pas une catégorie littéraire…

– C'est quoi, alors ?

Romain soupira.

– Tu as de ces questions…

– Ça commence quand ? C'est avant ou après les Grecs ?

Au pied du mur, Romain improvisa un cours d'Histoire qui passa d'ailleurs au-dessus de la tête de Denis le Petit, néanmoins fasciné par les choses étonnantes qu'il entendait. Il posa quelques questions, Romain s'employa vigoureusement à lui ôter de la tête quelques idées saugrenues ramassées on ne sait où, et s'inquiéta : depuis que l'origine de Denis le Grand lui avait été révélée, il se doutait qu'un jour ce serait au tour de Denis le Petit d'affronter cette révélation, et il le trouvait mal préparé.

À l'époque, il avait apprécié la façon saine dont Denis le Grand avait vécu cette épreuve très particulière. Il y voyait un peu la marque de l'exemple que lui-même et Agnès avaient donné à leur fils adoptif, l'effet d'une certaine structure morale. « Mais quel exemple Denis et Marie donnent-ils à leur fils ? se demandait Romain. Il est charmant, cet enfant, il joue on ne peut mieux de sa séduction, mais il n'a pas de fond, son ignorance est vertigineuse. On lui donne trop de luxe, trop de facilités, et pas assez de présence… »

Après l'accident de moto, il n'osait plus dire de Marie et Denis qu'ils étaient négligents avec ce garçon qu'ils avaient veillé tous deux nuit et jour. Cependant, il se promit d'aborder le problème avec Denis le Grand dès qu'il le verrait.

En attendant, Denis le Petit allait de mieux en mieux. On attendait le chirurgien qui devait lui ôter ses plâtres. Ce serait un grand jour. Denis le Grand avait promis d'être là.

Il avait promis, il y serait. Mais le tourbillon d'obligations où il se trouvait pris était épuisant.

Un orage historique avait noyé les caves de la galerie, qui paraissaient inaccessibles à pareil accident. Les dégâts n'étaient pas énormes, mais suffisants pour que les assurances renâclent. Denis s'occupait lui-même de ce dossier.

Les « réfractaires » d'Israël s'étaient fait voler leur émetteur-radio mobile, qui s'était révélé très efficace. Denis était-il disposé à en payer un autre ?

Le collectionneur qui, à Bâle, lui avait retenu le De Kooning, était frappé d'une amende colossale par le fisc. Il était obligé de revendre la toile. Si on ne la lui rachetait pas, il risquait de la brader.

Pour tout arranger, la Grande-Bretagne tout entière et le personnel de la galerie Sérignac en particulier furent noyés dans un flot de larmes, terrassés par l'horrible nouvelle : Diana était morte ! Plus question d'intéresser quiconque à autre chose qu'au funeste accident survenu sous un tunnel, à Paris, aux détails que les médias déversaient vingt-quatre heures sur vingt-quatre sur l'agonie de la belle princesse, sur son compagnon, ses derniers jours, son enfance, son mariage, les petits princes, sa rivale dans le cœur de Charles…

La jeune femme qui s'occupait des catalogues, Clarisse, avait disposé d'autorité une photo de Diana dans la vitrine de la galerie. Denis se garda de protester, devinant qu'elle lui aurait crevé les yeux. Même Sarah, qui trouvait Diana nunuche, manifestait de l'émotion.

On se disputait sur le point de savoir si la princesse était la malheureuse victime d'une famille royale antédiluvienne qui ne lui pardonnait pas sa popularité, ou si la famille royale n'était pas la victime d'une nymphomane dévergondée.

– Qu'est-ce que vous croyez, vous qui la connaissez, Denis ?

Denis osait à peine dire qu'il n'en pensait rien et ne voulait pas y penser.

La jeune femme aux catalogues, Clarisse, et les deux commis, qui feignaient l'indifférence, trépignaient. Denis se défendait : oui, il avait passé une soirée avec Diana chez Clifton Care, l'acteur shakespearien, après un spectacle.

– Un monstre ! décréta Clarisse. Il la trompait avec Nina Lord.

– Je ne sais pas, répondit Denis, je ne sais d'ailleurs pas qui est Nina Lord. Comment vous convaincre que je ne connais pas grand-chose de Diana ?

– Tu n'y arriveras pas, dit Sarah. Le chauffeur a parlé.

– Le chauffeur ? Mon chauffeur ? Qu'est-ce qu'il a raconté ?

– Il nous a confié où il t'a conduit, un soir de mai, avec elle. Tard. Et que tu en es ressorti très tard.

Denis comprit qu'il ne s'en tirerait pas par des pirouettes, aussi se résigna-t-il à raconter le minimum. Souper chez Clifton Care : Diana est là, superbe, sapée, entourée, n'adressant pas la parole à son amant qui est d'ailleurs tout occupé d'une autre. Elle boit énormément. En fait, nous buvons tous, c'est la raison d'être de ces soirées. Personne n'ose boire autant tout seul ; alors on se réunit et on appelle cela de la convivialité.

– Je n'avais jamais vu Diana de près, je suis ému par sa beauté, sa grâce, la tristesse de son regard. Le manège de Clifton l'exaspère manifestement.

– Elle est habillée comment ? demande Clarisse. Avec sa nouvelle robe noire décolletée dans le dos ?

– Je ne sais, répond Denis, confus. Je ne m'en souviens pas. Sa robe est noire, oui, et très déshabillée. Je m'arrache au sofa, elle me dit : « Je m'en vais. Vous me raccompagnez, Sérignac ? » Nous nous glissons hors de la maison sans nous faire remarquer. Le chauffeur m'attend. Je l'avais renvoyé, mais quand il a vu la pluie… Tu le connais, c'est un chauffeur de l'ancien temps… D'ailleurs, il reconnaît d'emblée Diana et est donc récompensé. Elle ne dit pas un mot. J'ignore où elle habite. Seule ? Avec ses enfants ? Avec un homme ? Elle donne une adresse. Je l'accompagne jusqu'à sa porte, mais elle dit : « Ça vous ennuie de monter prendre un verre chez moi ? » Nous montons. Elle a sa clef qui trouve difficilement la serrure, parce qu'elle tremble : alcool ? fatigue ? froid ?… Elle me fait entrer dans une pièce assez belle avec une décoration ultramoderne ; pas un livre, pas un tableau, mais tout un mur recouvert de ses photos. Il y en a de magnifiques, celles des débuts où elle est encore un peu gauche, et puis, au fur et à mesure, un talent de professionnelle pour poser… Je m'abîme dans leur contemplation tout en me demandant ce qu'elle peut bien faire : peut-être qu'elle cherche de la glace pour un dernier verre ?

« Comme elle tarde, je pousse une porte et entre dans une pièce essentiellement meublée d'un lit gigantesque. Diana est là, étendue sur une couverture de fourrure ; elle n'a même pas retiré sa robe, elle dort profondément… Je l'ai laissée dormir.

Vous voyez qu'il n'y a pas de quoi en faire une histoire. C'est une grande fille adorable qui boit trop, c'est tout ce que j'ai à en dire. Vous allez me lâcher les baskets, maintenant ? »

« Sarah comprend que je mens et qu'il ne faut pas insister ; elle a raison, se dit Denis. En cherchant Diana, je l'ai surprise, par une porte entrebâillée, dans sa salle de bains rose. Elle n'avait plus sur elle qu'une petite culotte, elle était pliée en deux, penchée sur la lunette des toilettes. Elle vomissait. Dans cette position, ses seins ressemblaient à des petits sacs. Elle s'arrachait littéralement les tripes, tant elle avait bu tout et n'importe quoi. J'ai eu envie de filer, surtout qu'elle ignore toujours que je l'avais vue, en sorte que cette humiliation ne lui soit pas infligée... Mais voici qu'elle se redresse, m'aperçoit, se colle à moi, me prend par le cou, m'attire vers le lit. Sa bouche sent mauvais, je n'ai aucune envie d'elle, elle bafouille : "Ne me laissez pas seule, je ne veux pas rester seule..." Que dois-je faire ? Me farcir la princesse pour pouvoir le raconter dans ma biographie ? J'ai pris la fuite... Quand le chauffeur m'a vu, sortant de chez elle et rejoignant la voiture, il a eu un clin d'œil et ce mot : "Félicitations, monsieur..." Ç'a été le seul élément comique de cette étrange soirée. »

Vint enfin un moment où, sans disparaître, les sanglots se firent moins bruyants, les curiosités moins obscènes à force d'être assouvies. Des groupes et comités se constituèrent pour demander la canonisation, mais le travail reprit.

Denis ayant réussi à remettre de l'ordre chez lui, la situation était nettoyée quand il s'en fut vers le Périgord. Il avait même obtenu de Sarah, heureusement distraite de ses fantô-mes par l'épisode de la mort de Diana, qu'elle agrée la présence, la nuit, dans une chambre voisine, d'une garde qui pût l'assister en cas de malaise ou de cauchemar...

Montcomble n'était pas un site touristique, juste un village à une vingtaine de kilomètres au sud de Périgueux. Denis avait beaucoup pédalé, jadis, dans la région. Mais, cette fois, en descendant de l'avion, naturellement arrivé en retard, il loua sagement une Renault. Il était chargé non seulement d'une valise, mais de paquets pour tout le monde, qu'il trimbalait depuis Londres non sans agace-ment. Les contrôles de sécurité se multipliaient ; plus il voyageait, plus il constatait qu'il devait être beaucoup plus agréable de se déplacer autrefois en diligence que par les modernes moyens de transport où l'on est une bête suspecte dans un troupeau.

Quand il arriva, la maisonnée faisait la sieste. Il poussa la porte d'entrée sans rencontrer ni verrou ni serrure, ni... comment appelaient-ils ça, déjà ? Ni digicode ! Les Sérignac vivaient dans leur village comme vivaient leurs aïeux, dans une délectable insouciance.

Denis posa valise et paquets dans l'entrée, prit une bouteille d'eau minérale dans le réfrigérateur, ôta sa veste et s'écroula – il était rompu – dans une chaise longue, sur la terrasse. Il retrouva doucement les odeurs familières, les sons montant des champs au loin, mais aussi de la meule du moulin. Enfant, il savait identifier chaque parole d'oiseau, donner son nom au chanteur... Il se dit qu'il fallait apprendre tout cela à Denis le Petit, tout comme la vie mystérieuse des taupes et celle des abeilles. Il fallait que l'accident de moto et ce séjour agreste présentent au moins cet avantage pour le convalescent.

Il s'était assoupi quand des lèvres effleurèrent les siennes : Marie était sortie de sa chambre.

– Je vais les réveiller, dit-elle. On t'attend avec une de ces impatiences...

– Accorde-moi encore un quart d'heure. Je suis si fatigué ! J'ai eu deux rudes semaines...

– J'imagine qu'avec Diana ç'a dû être de la folie, à Londres ?

– C'est de la folie partout ! répliqua Denis. Jusque dans le dernier trou de Laponie.

– Tu l'as connue, toi, Diana, il me semble ? Tu m'avais raconté à ce propos une drôle d'histoire...

– Oui, mais je t'en supplie, n'en parlons pas !

– D'accord, d'accord. D'ailleurs, honnêtement, le sujet ne me passionne pas, dit Marie. Je vais prévenir tes parents de ton arrivée. Tu as la chambre du premier... Celle du rez-de-chaussée était plus pratique pour Denis le Petit, avec ses cannes...

Denis le Grand se secoua et entreprenait de défaire sa valise quand Agnès entra comme un courant d'air dans sa chambre et l'embrassa furieusement.

– Tiens, lui dit-il, ce paquet est pour toi. J'ai fait une razzia des produits de luxe que tu aimes chez Fortnum & Mason.

– Tu y as pensé ! Avec tout ce que tu as sur la tête en ce moment ? Ah, que je t'aime, mon grand. Tu ne changes pas !

Elle s'était emparée de sa valise pour la défaire.

– Dis donc, dit Agnès, tu vas en avoir des choses à nous raconter ! Cette petite... ou plutôt cette grande Diana, tu ne nous as pas dit un jour que tu l'avais rencontrée ?

Alors Denis eut envie de mordre.

Mais Denis le Petit arrivait en hurlant :

– Regarde ! Regarde ce que je fais !

Debout sur ses jambes, il marchait ! Il devait encore se montrer prudent et user le plus souvent de ses béquilles, mais, à le voir si beau, grand et droit sur ses talons, le visage bronzé, les cheveux décolorés par quelques jours de soleil, Denis le Grand fut envahi par un élan de tendresse animale pour ce garçon que la vie, cette garce, avait voulu lui prendre.

Pour fêter dignement les premiers pas de Denis le Petit, Agnès et Marie avaient concocté des recettes savantes, mais Denis le Grand, les voyant le matin faire leur liste de courses, bouleversa leurs plans. Ils prenaient tous café et thé assortis de toasts, autour de la table de la cuisine, Denis le Petit se gobergeait de confiture d'abricots quand Denis le Grand annonça qu'il avait retenu pour le soir une table dans un restaurant renommé de la région.

Romain lui fit remarquer qu'il privait ainsi les femmes d'un grand plaisir : c'était sa marotte.

– Un grand plaisir ? Des clous ! s'exclama Denis. Une fois de temps en temps, je ne dis pas... Mais c'est une corvée, de cuisiner ! D'ailleurs, j'ai aussi horreur de voir une femme le nez dans les casseroles que de tenir un marteau-piqueur.

Romain le reprit vigoureusement :

– Tu te trompes complètement, mon petit vieux ! Il y a chez les femmes un instinct qui les pousse à nourrir. Elles y ont plaisir. Certes, ce n'est pas pour ça qu'il faut leur faire préparer deux repas par jour pour douze personnes, et prétendre qu'elles en sont ravies. Mais il ne faut pas non plus nier cet instinct. C'est sans doute lui qui assure parfois la survie de groupes humains...

– Je ne suis pas d'accord, s'interposa Agnès. C'est un pur produit de la culture. Quand on a cuisiné pendant des siècles pour les hommes et les enfants, ça devient une seconde nature, mais ça n'en reste pas moins une obligation plus qu'un plaisir. Tu en dis quoi, toi, Marie ?

– Je suis d'accord avec Romain sur l'instinct. Nourrir est un instinct tissé d'amour. Et nourrir qui l'on aime est un plaisir. Beaucoup de femmes, bonnes cuisinières, vous diront que si, d'aventure, elles doivent cuisiner un repas pour des gens qu'elles n'aiment pas, elles ratent. Parce que l'instinct leur dicte de les empoisonner plutôt que de leur donner une preuve d'amour. Tout ce qui touche à la nourriture est en fait aussi compliqué que cela paraît simple...

– Bon, je m'en vais faire les courses, conclut Agnès. Le dernier met les tasses dans la machine et on referme bien les pots de confiture, s'il vous plaît !

Elle saisit un cabas et les laissa continuer à disserter sur le plaisir ou le désir de nourrir.

Alors qu'ils étaient à nouveau réunis le soir autour d'une table ronde dans l'un de ces restaurants cossus de la province française, temples de la gourmandise où l'on prend deux kilos avant d'avoir dit ouf !, il se passa quelque chose de bête. Une maladresse de Denis le Grand. Une gaffe, même. Il raconta qu'il était invité par l'université où avait travaillé Michael Stern, pour assister à un hommage qui lui serait rendu. C'est Lizza Stern, sa demi-sœur, qui lui avait transmis l'invitation.

Michael Stern, on s'en souvient, était biologiste. Au moment de sa mort, il travaillait avec une petite équipe sur un problème extrêmement pointu auquel Denis n'avait d'ailleurs rien compris. Le savant avait avancé une hypothèse audacieuse, les autres l'avaient récusée, il s'était entêté, seul, puis il était mort subitement. Un membre de son équipe avait repris ses travaux, contre l'avis des autres. Et l'hypothèse de Stern s'était révélée juste ; il s'agissait même, scientifiquement, d'une avancée sérieuse. L'université où travaillait Stern s'était alors réveillée et avait décidé d'organiser une petite fête pour rendre hommage à sa mémoire. Ce serait sans façons, comme toujours aux États-Unis, à la fin d'une session d'études ; il y aurait peut-être un ou deux discours, mais plutôt sur le mode humoristique. Et si les enfants de Stern, c'est-à-dire Lizza et Denis, voulaient venir, on serait ravi de les voir.

Voilà ce que Lizza avait transmis. Et Denis le Grand avait aussitôt pensé : « J'y vais avec Denis le Petit. Après tout, il s'agit de son grand-père. Il en profitera pour découvrir l'Amérique. »

La nouvelle avait d'abord jeté un froid.

– Encore quelque chose que je ne savais pas ! s'exclama Denis le Petit. Me voici avec un grand-père américain, maintenant !

170

– Biologiste, et honoré pour cela, ce n'est pas mal, lui remontra Marie. Ne te plains pas !

Et Romain, à son tour :

– Tu ne nous avais jamais parlé de ce M. Stern, Denis…

– J'ai eu les plus mauvais rapports avec lui, répondit ce dernier. Franchement désagréables. Et je ne l'ai vu qu'une fois. Mais le fait est qu'il était mon père et qu'à un hommage rendu à son talent son petit-fils doit être sensible. Nul d'entre nous n'est jamais né de la copulation d'une rose et d'un escargot… Mais attention : je ne force personne ! Je signale simplement à l'assistance que je partirai le 15 mai aux États-Unis pour une semaine, et que si Denis le Petit veut m'accompagner, il y aura un billet pour lui.

– Moi, dit Marie, je t'accompagnerais bien.`

– Ce sera un plaisir, ma douce.

Bizarrement, il avait gâché le dîner en s'y prenant comme un manche pour dévoiler son projet. Il avait blessé Romain en disant « mon père » à propos de Stern, il avait perturbé Denis le Petit en introduisant Stern dans une constellation déjà assez compliquée ; seule Marie avait compris tout ce qu'il y avait derrière cet hommage à son père – mais Marie comprenait tout.

L'excellence de la chère et des boissons remit néanmoins un peu de chaleur dans les échanges. Marie glissa à Denis le Grand :

– Ne t'inquiète pas. Le petit est en train de se demander comment il va te dire qu'il souhaite t'accompagner…

Ce qui eut lieu au cours de l'heure suivante.

Romain posa des questions sur Israël. Denis raconta brièvement son voyage, son contact avec les réfractaires, les raisons pour lesquelles il se sentait des devoirs vis-à-vis d'eux et de ce pays : c'est à un Juif anglais très attaché à Israël qu'il devait sa carrière, les privilèges dont il était comblé.

Romain posa des questions sur Israël. Denis raconta brièvement son voyage, son contact avec les *refuzniks*, les raisons pour lesquelles il se sentait des devoirs vis-à-vis d'eux et de ce pays : c'est à un Juif anglais très attaché à Israël qu'il devait sa carrière, les privilèges dont il était comblé.

– J'essaie d'agir comme il l'aurait fait, dit-il, sans soutenir pour autant la politique de Sharon.

Il fut heureux que Romain et Agnès l'approuvent. Denis le Petit, lui, ne bronchait pas.

– Prends tout de même garde à toi, lui dit Agnès. Un étranger qui aide les rebelles… Ils sont capables de te fusiller !

– Ce n'est pas exclu, renchérit Romain.

– Je n'ai aucune envie d'être fusillé ! s'écria Denis. Soyez tranquilles, je me tiens dans l'ombre.

– Ça m'embêterait qu'on te fusille, dit le garçon, narquois.

– Moi, dit Marie, j'aurais plutôt envie d'aider les Palestiniens. D'ailleurs, c'est ce que je fais par l'entremise d'une organisation humanitaire suédoise.

Un imposant entremets fit son apparition et suspendit provisoirement les conversations sérieuses.

Denis le Grand se leva le premier pour aider Denis le Petit à se mettre sur ses jambes et à saisir ses cannes anglaises. Pendant qu'il le soutenait, Marie entendit le garçon lui dire à mi-voix :

– On y va quand, aux États-Unis ? Il faut que je sois
réparé !

– Tu le seras, ne t'inquiète pas !

18

Entamé dans le plaisir d'être ensemble et l'excitation du rescapé, le voyage aux États-Unis allait mal tourner.

Tout commença après la petite cérémonie au cours de laquelle deux anciens collègues de Michael Stern expliquèrent à l'assemblée d'anciens élèves et de chercheurs réunie sur le campus de la Broad University ce que Stern avait découvert et pourquoi c'était important. Ils tracèrent du défunt le portrait d'un bon vivant, inattendu pour le Grand Denis qui ne l'avait connu que larmoyant. Ils parlèrent de son chien, de son goût pour les cigares, d'un essai qu'il avait commencé à écrire sur la biologie comme métaphysique, tout cela avec l'humour nécessaire pour ne pas tomber dans le dithyrambe.

Denis le Petit écoutait fasciné, un peu dérouté par l'accent américain, mais saisissant l'essentiel.

On vida ensuite quelques bouteilles de Coca-Cola dans le jardin ensoleillé lorsqu'une grosse femme envisonnée d'une soixantaine d'années, suivie d'un grand dadais boudeur, s'approcha de Denis le Grand pour dire :

– Je suis la sœur de Michael Stern. Mon fils que voici, George, est donc son neveu. Et votre cousin. Embrassons-nous, Denis !

On ne saurait dire que celui-ci fut charmé de cette découverte. Marie s'éclipsa et Denis le Petit allait en faire autant quand la vieille dame enjoignit à George de l'entraîner dans une visite du labo de Stern.

Les deux garçons s'éloignèrent.

– C'est de la merde, cet hommage, dit George en ricanant.

– Pourquoi ?

– Je le connaissais, l'oncle Michael, c'était un vieux con. Je suis sûr qu'il n'a rien trouvé du tout.

– Il y a des vieux cons qui font des découvertes, objecta Denis le Petit.

– Alors, ils inventent des bombes qui tuent, des défoliants qui assassinent la nature, des hormones de croissance qui détruisent les enfants, et ils gagnent énormément d'argent avec ça… Ils se vendent aux laboratoires… Mon oncle était un vendu, tout le monde le sait !

– Vous ne devriez pas raconter n'importe quoi, répliqua Denis le Petit, choqué.

Et il resta bouche cousue tandis que George le traînait à travers des locaux dénués d'intérêt.

Enfin il se sentit autorisé à plaquer George, et chercha des yeux son père pour le rejoindre.

Assis à une petite table avec Marie, il était en train d'expulser littéralement la malheureuse Stern de sa vue.

– Tu pourrais être moins désagréable, lui souffla Marie.

– Non, je ne peux pas.

– C'est ta famille, tout de même !

– Pas de gros mots, s'il te plaît !

Fortement ému, Denis le Petit rapporta d'une traite ce qu'il venait d'entendre de la bouche de George.

– Je crois que c'est faux ! s'exclama Denis le Grand en contenant sa rage. Mais le discours est classique, ici. Et pas seulement ici, d'ailleurs. Tu sais ce qu'on va faire ? On va interroger Lizza : elle sait sûrement la vérité et me la dira. Va la chercher…

Avec Lizza, ses relations étaient excellentes, bourrues mais fraternelles.

Denis le Petit revint, entraînant Lizza qui se laissait faire avec le sourire.

– Qu'est-ce qui se passe, demanda-t-elle, il y a le feu ?

– Le garçon va t'expliquer…

Il expliqua.

– Écoute, répondit Lizza, la recherche médicale et scientifique, ses méthodes, ses objectifs sont un immense problème en soi. Je ne suis pas capable d'en juger. Mais, *un*, la découverte de Michael Stern n'a aucune application pratique : c'est un chaînon majeur dans un raisonnement ; *deux*, il n'a jamais touché un sou d'un laboratoire. Jamais ! Tu es satisfait ?

– Oui, dit Denis le Petit.

Ils le virent s'éloigner, entrer ici, ressortir, entrer là, disparaître. Puis on entendit tout à coup des hurlements. Denis le Petit passait une raclée à George.

Il revint avec quelques écorchures, s'assit, très calme, entre Denis le Grand et Marie, et souffla :

– Il ne le dira plus.

– Tu vois, dit son père, nous l'avons très bien élevé, cet enfant…

C'était compter sans la Sœur… enfin la Mère … enfin la Tante, ivre de fureur à la vue des plaies et bosses de son chérubin, humiliée jusqu'à l'os. Elle voulait un scandale, exigea des excuses de Denis le Petit, mais celui-ci répondit :

– C'est George qui m'en doit !

Alors elle interpella Denis le Grand, « ce faux Juif qui vient d'Europe donner des leçons à nos enfants… ».

L'un des professeurs, attiré par le bruit, était venu observer de près l'incident. Il prit la Mère offensée par les deux épaules et dit :

– Taisez-vous, madame, maintenant taisez-vous ! Sinon, votre fils et vous-même aurez de grands désagréments…

On l'entendit siffler : « Encore un antisémite ! », puis elle s'effondra.

Lizza intervint, interpella George :

– Aide ta mère. Soutiens-la, tu vois bien qu'elle a un malaise…

– Je m'en fous, lâcha George. Elle peut crever, cette vieille pute…

Pendant que Lizza et Marie traînaient l'horrible tante jusqu'à un fauteuil, David le Petit dit à son père :

– Charmante famille ! Pourquoi est-on venus ici ?

19

Pourquoi ?… Denis n'aurait su dire ce qu'il avait espéré : quelque chose d'esthétique, peut-être, en projetant une belle image de son père dans l'imagination de son fils ? Une réconciliation posthume ? Mais il n'eut pas loisir de s'interroger. Son portable sonnait : c'était Mabel, son assistante. Déjouant la surveillance de la garde, Sarah était sortie au milieu de la nuit, victime d'un épisode de confusion mentale. Les policiers du quartier l'avaient rapidement identifiée, ramenée chez elle.

– Que veux-tu que je fasse ? demandait Mabel.

– Tu ne la quittes pas, j'arrive, dit Denis. Préviens le docteur Fischer.

Ainsi fut brutalement abrégée l'expédition aux États-Unis. Une fausse bonne idée.

Denis le Petit en était resté barbouillé :

– Je ne veux plus voyager avec mon père, dit-il à Marie. Il est autoritaire, il empêche de traîner où l'on veut, il n'a jamais faim à l'heure des repas…

– Voyager est très difficile à faire avec agrément. Seul, ça n'est pas gai. On a envie de partager ses émotions. Mais, dès que l'on déambule à deux ou davantage, observa Marie, il y en a toujours un (ou une) qui mène, il faut marcher à son pas ou risquer de le (ou la) perdre ; il y en a toujours un (ou une) qui ralentit tout en prenant des photos que tu ne verras d'ailleurs jamais ; il y en a toujours un (ou une) qui cherche une pharmacie. Ou qui a une ampoule. Ou qui croit avoir perdu sa carte de crédit…

– Dis donc, toi, tu n'as pas une âme de touriste ! s'esclaffa Denis le Petit. Et il l'imita sur le thème : « Il y en a toujours un qui cherche une pharmacie… »

Ils prenaient le café et le soleil de juin dans le petit jardin qui prolongeait l'appartement que la mère et le fils partageaient.

Elle rit :

– Tu continues à imiter tout le monde ?…

– C'est mon arme secrète ! répondit Denis le Petit. Je fais rire les filles, je fais rire les profs.

– À propos de profs…

– Le bac ? T'inquiète pas… C'est comme si c'était fait ! Mais après… L'idée d'une prépa, ça me retourne les doigts de pied. Des colles, des exams, j'en veux plus…

– Eh bien, bravo ! Voilà qui est clair, fit Marie, mi-agacée, mi-narquoise. Tu pourras toujours devenir imitateur, pas vrai ?

– Absolument. Et je serai plus riche et plus célèbre que si j'étais normalien !

– Touché ! avoua Marie. Tu as raison… Tu vas à Londres, cette semaine ? Tu pourrais peut-être parler de tout cela avec ton père ?

180

– Non, ce n'est pas le moment. Il est d'une humeur de chien à cause de Sarah. Il n'a aucune confiance dans la médecine anglaise...

– Il n'a pas tort !

– Il a fait venir en consultation deux grands pontes de Paris.

– Qui ont dit quoi ?

– Je ne sais pas... Sarah, je l'aime beaucoup, commenta le garçon. Quelquefois, elle me fait peur, quand elle déraille. Mais son visage est le plus émouvant que je connaisse. On dirait Falconetti dans la *Jeanne d'Arc* de Dreyer. La tragédie absolue. C'est ma grand-mère préférée... Agnès, elle, est très bien, mais exigeante ; c'est discipline-discipline, avec elle !

– C'est peut-être pour cela que ton père est si bien élevé !

Denis le Petit s'esclaffa. Il n'avait jamais pensé à son père comme à quelqu'un de « bien élevé ». D'ailleurs, il n'aurait su exprimer exactement ce que cela voulait dire.

– C'est très simple, dit Marie, cela veut dire « civilisé ». C'est ce qui permet la vie en société.

– Je suis bien élevé, moi ?

– Par rapport à la marge que laissent les mœurs de l'époque, oui. Tu as de bonnes manières, même si on peut mieux faire.

– Sarah me donne envie de la protéger. Tandis que ta mère à toi, je ne peux pas la piffer !

– On ne peut pas dire qu'elle nous encombre beaucoup, la pauvre. Une fois par an, à Noël...

– Qu'est-ce qu'elle fout au Guatemala ?

– Elle gère sa fortune ; c'est là que vivent ses amis. Des gens puants qui jouent aux cartes toute la sainte journée...

– On peut gérer sa fortune n'importe où !

– Ça dépend comment elle a été acquise.

– Tu veux dire que cette fortune a été mal acquise ?

– Exactement. En faisant tourner les usines de la famille de Groot pour les nazis pendant la guerre, aux Pays-Bas. Mais mon grand-père et ses fils étaient intelligents. Ils ont prévu la défaite de l'Allemagne quand personne n'y croyait encore, ils ont réussi à faire passer toute leur fortune en Amérique latine et quand la défaite allemande est survenue, les usines n'étaient plus que des coquilles vides, et eux avaient commencé à prendre des assurances du côté des Américains. Quelles assurances, je n'en sais rien... Le fait est qu'ils ont été montrés du doigt, dénoncés, injuriés mais laissés libres, et, dès qu'ils ont pu quitter le pays sans avoir l'air de fuir, c'est ce qu'ils ont fait... Ils ont ensuite voyagé loin de l'Europe. Et ils ont pris pied en Amérique latine...

« C'est pur hasard si je suis née à Paris. Mes parents ne se sont jamais occupés de moi, je les voyais deux fois l'an ; mais ils ont toujours eu le chèque facile, de sorte que j'ai connu les meilleures pouponnières pour milliardaires, les meilleures pensions suisses, et la plus triste des enfances dorées, jusqu'à ce que, à seize ans, je me révolte. J'ai sommé mes parents de me donner ma liberté, c'est-à-dire de quoi vivre seule à Paris dans un appartement décent, et de payer mes études jusqu'à ce que je sois capable de gagner ma vie. Ils étaient ahuris. Ma mère hurlait. Mon père, lui, a tout de suite compris qu'il fallait céder, ou s'attendre à me retrouver prostituée sur un trottoir de Genève. Ma révolte lui a plu. Il m'a acheté un appartement et il a alimenté régulièrement mon compte en banque jusqu'à sa mort. Voilà toute l'histoire de ceux dont tu portes le nom un peu flétri, et qui possèdent d'autre part je ne sais quel titre de petite noblesse. Si ça t'intéresse, il faudra faire des recherches…

– C'est ce que ta mère m'a suggéré…

– Elle est snob comme une puce. Si tu veux t'assurer ses bonnes grâces, retrouve la généalogie des De Groot depuis le XVIIIe siècle. Il y a de tout parmi eux, même un pirate !

– Un pirate ? Ah, ça, ça me plaît ! s'écria Denis le Petit, enchanté de cette découverte. Et tu voudrais que le descendant d'un pirate use ses culottes sur les bancs de Normale ou de Sciences Po ?

Il s'en fut ouvrir la porte où l'on sonnait.

Un garçon et une fille presque propres sur eux déboulèrent gaiement. Bacheliers en attente de résultats, eux aussi, ils venaient chercher Denis le Petit pour aller faire un tennis.

En regardant son fils les suivre, Marie remarqua qu'il boitait.

– Tu as pris tes bonnes chaussures ? lui demanda-t-elle.

– Je ne sais pas où elles sont.

– Tu auras mal au dos toute la semaine… Au revoir, mes enfants, amusez-vous bien !

Le dos de Denis était devenu la principale préoccupation de Marie depuis son accident. Comme prévu, il en était sorti avec une jambe plus courte que l'autre. « Ce n'est pas dramatique, lui avait Denis le Grand, mais tu ne seras jamais champion du monde dans une spécialité·sportive. » Et Marie :

« C'est ce qu'on appelle vieillir. Voir une porte, deux portes, trois portes se fermer devant vous sur le chemin de la vie. » Un bon kinésithérapeute, indifférent à ces considérations philosophiques, lui avait dit plus simplement : « Il vous faut des chaussures correctrices, et les porter en permanence. Chaque fois que vous marcherez sans, vous infligerez à votre colonne vertébrale un déséquilibre qu'elle vous fera payer cher. »

Denis le Petit avait d'abord été très affecté par cette atteinte à son intégrité physique. Les chaussures idoines avaient été fabriquées. Il s'était accoutumé à les porter, mais aussi à les oublier, parce qu'il n'en souffrait pas sur l'instant. Un élancement, rien…

Ce jour-là, Marie ouvrit le placard où se trouvaient les vêtements de Denis le Petit, rangés si l'on peut dire en tas informes – mais, là-dessus, elle n'intervenait jamais –, elle extirpa du placard quatre ou cinq paires de baskets et jeta le tout à la poubelle avec de beaux mocassins italiens. Sous le lit, comme elle s'y attendait, elle trouva deux paires de chaussures de cuir correctrices qu'elle emporta à la cuisine pour les nettoyer. Puis elle les remit en place bien en évidence.

Enfin, sur la porte du placard, elle afficha cet avis : « *Même les pirates finissent dans des petites voitures quand ils n'écoutent pas leur mère.* »

L'opération achevée, elle prit une douche, se coiffa, s'habilla avec soin, appela un taxi et se fit conduire dans un grand hôtel de l'avenue Montaigne. Le concierge la salua et lui remit une clef. Elle pénétra dans la chambre, vérifia l'heure : elle était en avance. Par téléphone, elle commanda deux vodkas.

Cette suite, occupée par Marie à l'année, était en somme sa garçonnière. Nul n'en connaissait l'existence. On savait, parmi ses collaborateurs, qu'elle disparaissait parfois, pendant quelques jours, « à la campagne », disait-on, mais personne n'avait jamais vu cette campagne. Et pour cause : elle se situait avenue Montaigne.

Elle avait ainsi organisé sa vie dès qu'elle en avait eu les moyens. Denis le Petit avait alors trois ans. Le mariage ne lui disait rien. Tout endolorie encore par le départ de Denis le Grand, elle ne pouvait concevoir de vivre avec un autre homme, mais ne comptait pas non plus se condamner à la chasteté, état funeste pour le moral et pour le teint. Elle était néanmoins déterminée à ne jamais infliger à son garçon, à quelque âge que ce fût, « les amants de Maman ».

Personne n'avait plus qu'elle l'esprit pratique. Elle dressa une cloison étanche entre sa vie de mère et… l'autre. La formule de la « chambre en ville », quand elle voulait sa liberté, fût-ce pour pleurer tout son saoul, les jours noirs où l'austérité de sa vie consacrée à l'économie internationale devenait étouffante, était la meilleure. À la maison, une femme de confiance veillait sur Denis, assortie bientôt d'un précepteur, un jeune matheux nommé Hubert Lüring, qui payait ainsi ses propres études. Il tomba très vite amoureux de Marie qui s'en amusait, la cruelle. Elle ne se détestait pas en héroïne de Stendhal, et Denis le Petit faisait des progrès foudroyants en mathématiques.

Dans le lot de participations à des groupes français léguées par M. De Groot se trouvait un paquet d'actions du grand hôtel choisi par Marie. La direction accueillit donc poliment son désir de bloquer une suite à l'année pour l'occuper de temps à autre. Cette relative extravagance lui coûterait naturellement la peau du dos. « Mais moins qu'une maison de campagne, se dit Marie en signant son premier chèque. Et si un tuyau vient à crever dans la salle de bains, ce ne sera pas mon souci ! »

Elle avait une sainte horreur des « résidences secondaires » dont la mode faisait des ravages, jetant les Parisiens en rangs serrés sur les routes, chaque fin de semaine, où ils se tuaient obstinément. Dans les voitures, le dimanche soir, les enfants exténués vomissaient, les couples s'engueulaient. Quand il pleuvait, c'était complet. Prise deux ou trois fois dans cet agglomérat de véhicules pétrifiés en rentrant d'une maison amie, Marie s'était juré de ne plus jamais rouler pendant le week-end, et s'y était toujours tenue, même quand Denis avait loué une maison près de Paris. Elle circulait à contretemps.

Mais elle continuait à s'interroger sur la puissance de ce désir des masses modernes qui suscitait des conduites aussi déconcertantes. C'était souvent l'exemple qu'elle citait dans les réunions d'experts où l'on cherchait à analyser les comportements des consommateurs et à les anticiper : « Dès lors que, depuis trente ans, les Français s'obstinent à avoir des résidences secondaires et à s'y rendre tous aux mêmes jours et aux mêmes heures de la semaine, dès lors qu'ils font ainsi plus de huit mille morts par an, dont quatre mille jeunes gens, et qu'ils s'en accommodent, comment peut-on prétendre interpréter les désirs des consommateurs en termes de rationalité ? »

– Dans le cas d'espèce, c'est simple, lui répondit un jour un collègue. Il s'agit d'un désir de fuite. Nos contemporains n'aiment plus leur vie, ils ne la supportent plus. C'est elle qu'ils fuient en se déplaçant tout le temps, sans aucune nécessité. Et tant pis si ça se termine dans le fossé !

– Si ce que vous dites est juste, c'est grave ! dit Marie.

– Bien sûr, c'est grave... Mais ce n'est pas à vous, chère Marie, si lucide, que j'apprendrai combien les comportements de nos contemporains sont devenus préoccupants et parfois indéchiffrables...

Les hommes auxquels Marie ouvre le refuge ouaté de l'avenue Montaigne, où elle a introduit un parfum d'intimité en y apportant quelques beaux objets personnels, des livres, des fleurs, ces hommes ne sont pas particulièrement intéressants. Dans un dîner, une réunion professionnelle, quelquefois dans un avion, ce sont eux qui l'ont choisie, et non le contraire, elle en est parfaitement consciente, car, en fait, aucun homme ne lui plaît vraiment. Elle est polie et même gracieuse pour leur faire comprendre, au bout de trois rencontres, qu'il ne faut pas chercher à la revoir, mais tous gardent l'impression troublante d'avoir été transparents...

Et puis, récemment, il y a eu Igor Bérovitch. Un grand Russe à belle gueule, qui passe d'un état d'excitation intense à la dépression totale en trente secondes, qui chante en cinq langues et connaît cent jurons. Accessoirement, il est économiste, attaché lui aussi à une institution internationale, et il peut réciter tout Pouchkine.

Ils se sont rencontrés à Saint-Pétersbourg, ville romantique s'il en est, surtout en ses nuits blanches, et ils ont passé quelques jours radieux, tout enluminés de cette grâce légère qu'à ses débuts l'amour répand. Marie n'a jamais connu cet état d'ivresse. Igor, on ne sait pas… Il semble bien accroché, sur un petit nuage lui aussi. En visitant ensemble le musée de l'Hermitage, ils s'embrassent toutes les trente secondes, au point que le gardien intervient grossièrement : « Vous n'êtes pas dans une chambre à coucher !… » Marie rougit violemment, Igor abreuve le gardien d'injures qui font rire les visiteurs, mais qu'elle ne comprend pas. Elle est heureuse de constater qu'il connaît bien la peinture, et pas seulement la situation catastrophique de l'économie soviétique dont il prétend se soucier comme de sa première vodka. « Le monde est assis sur un volcan, dit-il, et personne n'a la moindre recette pour empêcher l'éruption, qui sera terrible. Alors, il ne faut avoir qu'un souci, qu'un projet : être heureux aujourd'hui, et si possible encore demain ! »

Leur séparation a été horrible. Un arrachement, mais aussi un serment : je t'aime, on s'aime, rien ne peut nous priver l'un de l'autre, c'est une question d'organisation. Il essaiera de se faire affecter à Paris ; elle viendra le voir à Moscou. En tout cas, chacun d'eux ira rejoindre l'autre chaque fois qu'il se déplacera. Mon amour, mon amour, ça va s'arranger, tu verras…

Rien de tel que les obstacles pour fortifier l'amour. Igor, qui n'en est pas à sa première aventure, est cette fois complètement tourneboulé par cette Française élégante, feu sous la glace, qui l'enferme dans un hôtel de luxe. Embrasée, Marie, qui célèbre ses quarante ans, se demande pourquoi elle a dû tant attendre pour trouver l'homme de sa vie.

Se verraient-ils tranquillement tous les jours, on peut penser que ce petit vent de folie s'apaiserait de lui-même. Objectivement, on ne construit pas une nouvelle vie sur un coup de peau. Mais, dira-t-on, qu'est-ce que l'objectivité vient faire ici, face à des corps et des cœurs en fête ?

Pour l'heure, Marie attend Igor dans sa suite. C'est la quatrième fois qu'ils vont se retrouver depuis Saint-Pétersbourg. Il n'est jamais à l'heure, et si quelque chose provoque un jour entre eux des étincelles, ce sera cela. Elle tremble légèrement, comme toujours quand elle pense à ce qu'il sait faire de ses mains pour qu'elle hurle de plaisir.

Le téléphone sonne. C'est lui ! Non, c'est une voix russe, une voix d'homme qui demande « Madame Marie ».

– C'est moi...

– Igor Bérovitch avait rendez-vous avec vous, madame ; il veut vous dire qu'il ne peut pas venir.

– Ah bon ? Pourquoi ? Passez-le-moi, s'il vous plaît.

– Impossible, madame. Igor Bérovitch est mort.

– Quoi !

– Sa femme a tiré sur lui trois balles de revolver au moment où il embarquait dans l'avion... Il n'a eu que le temps de nous confier ce message pour vous...

Une douleur sauvage envahit Marie. Sa femme... Il ne lui avait pas dit qu'il était marié. Jalouse, probablement. « C'est ma faute s'il est mort, c'est ma faute... » Elle se jeta sur le lit en sanglotant, puis se redressa, saisit le carafon de vodka, en avala la moitié, se laissa retomber et heurta durement le fond de lit.

Un peu plus tard, elle réunit toutes ses forces pour se coiffer, se refaire figure humaine, dissimuler le bleu qu'elle avait au front et traverser le hall de l'hôtel sans se faire remarquer, alors qu'elle vacillait. Elle s'effondra dans un taxi. Son souci était de parvenir chez elle avant le retour de Denis le Petit et de ses amis. Mais ils étaient là, les haut-parleurs hurlaient. Il lui ouvrit et tout de suite s'inquiéta :

– Qu'est-ce que tu as ? Qu'est-ce qui s'est passé ?

– Rien de grave, répondit Marie. Une collision avec un autre taxi. Je n'ai aucune blessure, mais j'ai été choquée...

– J'appelle un médecin ?

– Non. Je vais me coucher. Tu me donnes deux aspirines et un somnifère avec un verre d'eau : tu sais où les trouver ?

– Je sais.

Elle avala le tout, puis essaya de sourire :

– Merci beaucoup. Tu peux éteindre.

Denis le Petit se retira, soucieux.

– J'y crois pas, dit-il aux autres, à cette histoire de taxi. C'est quelqu'un qui lui a fait du mal...

– Ta mère n'est pas du genre à se faire tabasser par son mec !

– Elle n'a pas de mec, répliqua sèchement Denis le Petit. Mais tout le monde a des ennemis. Surtout quand on s'occupe d'affaires internationales...

Et il coupa le son des haut-parleurs pour que Marie puisse s'endormir.

Il ne voulait pas la quitter pendant le week-end, mais elle l'exigea. Il voulut l'emmener à Londres, mais elle refusa. Pour la première fois, Denis le Petit était complètement déconcerté par sa mère. Elle s'en aperçut et convoqua tous ses principes sur la façon dont il convient de parler à ses enfants dans les situations de crise. Au plus près de la vérité :

– Je suis fâchée, lui dit-elle, très fâchée, et triste, et de mauvaise humeur. Tout le monde a le droit, quelquefois... Aujourd'hui c'est mon tour. J'ai appris brutalement la mort d'un ami que j'aimais beaucoup et ça m'a bouleversée, voilà.

– Et ce bleu, qu'est-ce que c'est ?

– Rien, je me suis cognée contre une porte parce que j'étais aveuglée par les larmes.

– Tu vas encore pleurer ? demanda le garçon qui supportait mal ce spectacle stupéfiant – Marie si calme, si forte, si prompte à sourire, Marie cassée.

– Non, dit-elle, je crois que je ne vais plus pleurer, mais je n'en suis pas tout à fait sûre. Aussi me ferais-tu vraiment plaisir si tu partais quelques jours à Londres pendant que Félicia prendra soin de moi.

Il acquiesça sans enthousiasme, l'embrassa frénétiquement, comme il le faisait petit garçon, et lança négligemment :

– Je t'ai dit que j'étais reçu ?

– Mais non ! s'écria Marie d'une voix soudain raffermie. Tu es allé voir les résultats ce matin ?

– Oui, et avec mention, s'il te plaît !

Secouée comme elle était, Marie faillit se remettre à pleurer, mais réussit à paraître se moucher.

– Tu es heureux ?

– Oui, fit Denis. Mais moins que je ne croyais l'être.

– Tout ce qui est atteint est détruit, dit Marie. C'est la loi de la vie. Allez, file ! Et n'oublie pas tes chaussures !

Avoir pensé aux chaussures de son fils lui avait fait du bien. Allons, il se trouvait encore une petite fenêtre, dans son cerveau, qui n'était pas obstruée par Igor. Mais, déjà, après la diversion que lui avait apportée Denis le Petit, elle était en train de glisser dans les eaux brûlantes du souvenir et de se remémorer, heure par heure, geste par geste, Igor le magnifique.

20

En arrivant à Londres, Denis le Petit flâna un peu dans la galerie où des clients monopolisaient l'attention de Denis le Grand.

Les séismes qui secouaient les marchés financiers se répercutaient évidemment sur le marché de l'art. L'argent se faisait plus rare, mais les vrais amateurs n'obéissent jamais qu'à leur désir, non aux caprices de la Bourse.

Par curiosité, Denis le Petit interrogea son père :

– T'as perdu beaucoup d'argent, dans cette crise ?

– Non, répondit Denis le Grand, très peu. Au désespoir de mon banquier, je n'investis guère en Bourse. Ça ne m'a jamais intéressé de posséder du papier et de savoir que le mercredi il vaut cinq dollars de plus ou de moins que le mardi. J'investis dans l'art, mais jamais dans la perspective de spéculer, car personne de sensé ne peut te dire aujourd'hui ce que vaudra une œuvre dans dix ans.

– Tous les marchands d'art font comme toi ?

– Je présume, mais je ne sais pas. Tu verras quand tu dirigeras la galerie, s'il y a encore à ce moment-là des galeries. Mais tu as le temps d'y penser ! Pour le moment, on ne te demande pas de gagner de l'argent, mais d'en dépenser intelligemment. Quels sont tes projets de vacances ?

– Voyager en Asie avec des copains, dit Denis le Petit. En Inde…

– Très bien. Quels copains ? Je les connais ?

– Deux garçons et une fille, des Français. Marie les connaît.

– Je t'ai ouvert un compte à ma banque. Tu pourras tirer dessus dans la limite de cinq mille livres.

Denis le Grand fut à nouveau sollicité par des clients :

– Je te retrouve tout à l'heure, dit-il à son fils. Il nous faut reprendre cette conversation. Bess viendra dîner avec nous.

Denis le Petit tourna encore un peu en rond dans la galerie, mais se faufila dans le loft Sérignac, ainsi nommé par paresse, mais qui était en vérité une petite maison du XVIIIe avec vue sur la Tamise, comme il en reste encore quelques-unes dans la capitale.

Il monta jusqu'à la porte de Sarah.

– Ne la fatiguez pas, dit une garde revêche.

– Je ne la fatigue jamais, je la défatigue ! lui répliqua Denis le Petit.

Et c'était vrai.

En tout cas, il trouva ce jour-là un fameux moyen de la distraire. Anticipant sur la générosité de son père en cas de succès au bac, il s'était acheté le dernier cri en matière de photo numérique. Il jouait depuis l'enfance avec la photo, bien ou mal, mais passionnément. Le numérique changeait tout. Il s'était promis de l'utiliser pour restituer dans toute son ardente et tragique beauté le visage de Sarah.

– Tu es fou, mon chéri, disait Sarah, amusée mais lasse. Photographie plutôt de jolies jeunes filles !

Inoccupée, elle était pelotonnée dans un fauteuil, près de la fenêtre, une couverture sur les genoux. Denis le Petit en avait le cœur serré. Tout était beau, chez elle : l'ovale du visage, l'attache du cou, l'arcade sourcilière, la main qui caressait le chat…

Il prit vingt photos, plus, peut-être, puis il comprit à son regard qu'elle était fatiguée et la laissa après un tendre baiser.

Le soir après dîner, il brancha son appareil, qui n'avait l'air de rien, sur l'ordinateur portable dont il ne se séparait pas. Denis et Bess eurent la surprise de voir apparaître sur l'écran une série de photos sublimes de Sarah.

– Je peux les tirer, les expédier au bout du monde rien qu'en appuyant sur un bouton… Je peux les retoucher, les recadrer, grossir un élément… C'est génial, non ?

Ils étaient épatés.

– Tu as envie d'en faire ton métier ou un hobby ? demanda Bess.

– Pour le moment, je n'ai pas envie d'avoir un métier. Je me sens exceptionnellement protégé au milieu d'un monde plutôt menaçant. J'ai envie d'aller mettre le nez hors de ma chambre capitonnée, même s'il y a quelques risques…

– Et toi, Denis le Grand, tu prends quelques vacances ? J'ai vu qu'il y a, dans un petit village français du Gers, un festival de jazz auquel Ornette Coleman vient participer. Tu as entendu parler de ça, je suppose ?

– Naturellement. C'est un endroit très sympathique, Marciac, où les gens en viennent aux mains pour ou contre le free-jazz ! Il faut emporter son sac de couchage : il n'y a pas d'hôtel. J'irai peut-être. Mais je dois d'abord emmener Sarah aux États-Unis, si elle se laisse faire…

Les pontes français consultés avaient conclu qu'elle présentait les signes d'un désordre neurologique encore bénin, mais voué à dégénérer inéluctablement. Aux États-Unis, un chercheur prétendait avoir trouvé le moyen d'enrayer le processus de destruction des neurones. Denis avait pris rendez-vous avec lui.

Ils allaient se séparer lorsque Denis le Petit dit à son père :

– J'ai envie d'emmener Karel en Inde ; tu trouves que ce serait une bonne idée ?

– Karel ? qui est Karel ?

– Ton manutentionnaire… Le « Yougo », tu sais bien.

– Karel ne fait plus partie du personnel de la galerie, répondit Denis le Grand d'un ton sec.

– Mais pourquoi ?

– Parce que je l'ai renvoyé.

– Mais pourquoi ? C'était un pote…

– Parce qu'il était paresseux, insolent et indélicat.

Denis le Petit s'indigna. C'est lui qui avait introduit Karel dans la galerie quand le « Yougo », fraîchement débarqué d'on ne sait où au juste, couchait dans la rue. Pour faire plaisir à Denis le Petit et à ses copains anglais qui s'étaient entichés eux aussi de ce beau parleur guitariste, Denis le Grand avait permis qu'on lui mît une paillasse dans la réserve et lui avait octroyé un petit salaire en échange de menus travaux.

Mais le jeune homme s'était montré très vite insupportable, chapardeur – il volait dans les sacs des employées de la galerie, exaspérées… Un jour, Denis le Grand l'avait vidé. Il ne s'attendait certes pas que Denis le Petit l'en félicite, mais la violence de sa réaction l'étonna :

– J'ai l'impression d'entendre un petit gauchiste français, c'est-à-dire ce qu'il y a de plus irresponsable au monde ! s'indigna Bess.

– Qu'est-ce qu'on doit faire, selon toi, d'un employé nul, malhonnête et sournois ? Lui octroyer une pension ? Tu crois que les autres employés apprécieraient ? Ce sont eux qui m'ont demandé de les débarrasser de Karel.

– Mais vous êtes tous puants ! s'écria Denis le Petit.

Et, planté devant son père, il lui lança :

– Toi, tu es un sale Juif qui ne pense qu'à faire des économies sur son personnel, et toi – il s'était tourné vers Bess –, tu ne penses qu'à lui piquer l'argent qu'il ne veut pas donner aux autres ! Et pendant ce temps, les chômeurs et les sans-abri peuvent crever…

Denis ne broncha pas. C'était un animal à sang froid. Mais il était devenu blême.

– Si tu penses ce que tu dis, tu n'as plus rien à faire ici.

Denis le Petit resta muet.

– Alors va-t-en, et ne remets plus les pieds dans cette maison.

Le garçon hésita visiblement entre deux attitudes, puis saisit son matériel de photo et jeta :

– Ton compte en banque, tu peux te le mettre au cul ! Je n'ai rien à en foutre !

Et il disparut.

Denis le Grand et Bess restèrent un moment silencieux, un peu sonnés tout de même.

– Ce n'est pas antipathique, son attitude, fit Denis le Grand, c'est seulement sot. Mais s'il n'était pas sot à son âge… Le surprenant, c'est que rien de cette violente stupidité ne soit jamais apparu chez lui. Il a été l'adolescent le plus charmant, le plus ouvert… Bon, c'est comme les chiens, il faut qu'ils aient la maladie…

Le silence de Bess l'intrigua.

– Tu penses autrement ?

– Un peu autrement, oui. D'accord quant à la maladie du jeune chien : la conscience se pose en s'opposant, a dit je ne sais plus quel philosophe. Le niveau de sa réflexion « sociale » est affligeant, mais si répandu qu'on ne peut lui en vouloir. Il a le temps de réfléchir. Mais la plaie que tu ne dois pas laisser suppurer, Denis, c'est le « sale Juif » qu'il t'a lancé à la figure. Il se prend pour quoi, ce petit con ? Pour l'aristocratique rejeton de la famille De Groot, ces gougnafiers ? Ce qui a surgi là, c'est ce que les psy appellent, sauf erreur, le « retour du refoulé ». Cet enfant ne veut pas être le fils d'un Juif, il ne veut pas être le fils d'un riche, même s'il en profite largement ; il ne l'a jamais dit expressément, mais, soudain, ce soir, il s'est défoulé.

– Bess, dit Denis le Grand, fais-moi le crédit de penser que tout ce que tu as dit, je l'ai souvent flairé. Mais je pensais que cela éclaterait plus tard, quand il aurait acquis son indépendance. Là, il rompt avec moi sans filet.

– Qu'est-ce que tu racontes ? Il va se réfugier dans le giron de Marie…

– Tu ne connais pas Marie, observa Denis. Non, tu ne la connais pas !

En rentrant chez elle, Bess buta sur quelqu'un qui dormait devant sa porte. Elle prit peur, jusqu'à ce qu'elle reconnût Denis le Petit, roulé en boule.

Il raconta qu'il avait erré dans Londres à la recherche de Karel, mais en vain ; qu'il avait fait deux ou trois parties d'échecs ici et là, qu'il n'avait pas d'argent pour aller coucher à l'hôtel et qu'il était trop tard pour gager son appareil photo. Alors il avait osé demander asile à Bess... Il dit cela avec le plus beau sourire de ses yeux bleu-Stern, l'irrésistible.

– Pourquoi devrais-je t'accueillir, petit monstre ? demanda Bess. Tu m'as salement insultée, tout à l'heure. À ton âge, tu entretiens vraiment des relations bizarres avec l'argent, pour y voir le fin du fin des relations humaines... Tu n'en as jamais eu, tu n'en as jamais manqué, tu n'en as jamais gagné, tu n'en as jamais donné, tu n'as jamais produit de richesses : qu'est-ce que tu sais de l'argent ?

– C'est la chose du monde la plus mal partagée, dit Denis.

Bess ne sut quoi lui répondre.

Le retour à Paris fut rugueux. Denis le Petit prévoyait un savon carabiné et avait plus ou moins préparé sa défense. Mais il trouva sa mère assise au soleil dans leur petit jardin, vêtue d'une jolie robe de chambre blanche qu'il ne lui connaissait pas, l'attendant pour déjeuner en croquant des radis et en écoutant les informations.

Ils échangèrent quelques banalités sur le temps qu'il faisait en Grande-Bretagne et en France, elle raconta qu'elle avait appelé un médecin ami et qu'il lui avait prescrit une drogue miracle, en sorte qu'elle avait retrouvé tout son tonus. Denis l'écoutait distraitement, attendant le moment où tomberait la douche, mais rien.

Mal à l'aise, il se leva et annonça :

– Je vais au cinoche…

Et il attendit qu'elle demande : « Tu as de l'argent ? », mais rien ne vint. Alors il passa à la cuisine et voulut emprunter cent euros à Félicia, qui avait l'habitude. Mais elle fit « non » de la tête tout en mettant un doigt sur ses lèvres.

– Je peux savoir ce qui se passe ? dit-il. On me coupe les vivres ?

– Les vivres, non, dit Marie, toujours souriante ; tu pourras toujours coucher et te nourrir trois fois par jour ici. Mais, pour les suppléments… Puisque l'argent que gagne ton père dans le commerce de l'art est juif, donc sale, on ne va pas continuer à t'imposer cette douleur… Quant à l'argent hérité par ta mère de ces fripouilles de De Groot, il pue, il n'y a pas d'autre mot. Maintenant que tu le sais, ta conscience sociale serait troublée d'en profiter. Alors voilà : vivres et couvert assurés, mais, à dix-huit ans, un garçon aussi intelligent que toi doit être capable de gagner sa vie. Suprême avantage : cela t'évitera d'hésiter entre Normale Sup et Sciences-Po. N'est-ce pas, mon coco ?

Denis le Petit avait écouté Marie, défait. Cette voix égale et douce, à peine teintée parfois d'ironie, était celle avec laquelle sa mère avait cent fois bercé ses plaies et ses bosses, apaisé ses chagrins, et elle lui disait là des choses atroces, méchantes, injustes, oui, injustes...

– Vous avez manigancé ça ensemble ? fit-il, rageur. Bon. Je suis sûrement capable de gagner ma vie, mais il ne faut pas me scier les pattes. Ce n'est pas le 14 juillet que je vais trouver un job... Je demande seulement qu'on soit correct avec moi.

– C'est-à-dire ?

– Je dois partir en Asie avec trois copains. Il est convenu que chacun de nous mette cinq cents euros au pot, et qu'on se débrouille avec ça, voyage compris... Ça n'est pas la mer à boire !

– Non. C'est même très raisonnable. Je te les donnerai, sois tranquille.

– Donne-les-moi maintenant, je ne veux pas être obligé de revenir.

Il boucla un sac, une trousse de toilette.

– Tu sais où dormir ?

– Chez Mariette. Ses parents sont ailleurs. Au revoir.

Il tendit la main à Marie, sans l'embrasser.

– Je ne te demande qu'une chose, ajouta Marie. Ne reviens pas avec le sida.

– Ça t'emmerderait, hein ?

– Moins que toi.

Le garçon la regarda droit dans les yeux et conclut :

– Je te déteste.

21

Le chercheur américain était apparemment un imposteur, à tout le moins l'un de ces scientifiques trop pressés de faire financer leurs travaux et qui se livrent en conséquence à des annonces de résultats prématurées.

Le Dr Hickley, dont le laboratoire se trouvait à San Diego, était tout à fait sympathique, certain que ses recherches aboutiraient : « Si Dieu a permis que nos contemporains deviennent centenaires, dit-il, il permettra aussi forcément que nous trouvions comment les empêcher de vieillir sans perdre l'esprit ! » Il disait cela avec une conviction qui laissa Denis pantois. C'est peu dire qu'il ne comptait pas sur l'intervention divine pour protéger Sarah des progrès d'une maladie d'Alzheimer, puisque c'était de cela ou d'une de ses variétés qu'il s'agissait.

Il quitta le Dr Hickley à la fois exaspéré par la religiosité américaine, qui s'exprimait là dans toute sa niaiserie, et, d'une certaine manière, envieux qu'un esprit scientifique puisse fonctionner comme cela : Dieu a permis, Dieu ne permettra pas...

Sarah avait été hospitalisée pendant quarante-huit heures pour qu'il fût procédé à toute une série d'examens. Elle attendait sagement Denis dans le hall de l'hôpital tout garni de marbre – les Californiens sont riches, Denis réglerait une facture obèse –, enfin il fut à elle.

– Qu'est-ce que tu as envie de faire aujourd'hui ? Un tour dans l'Amérique profonde te dirait ? Elle est tout près…

– Non, répondit Sarah. Je voudrais rentrer à la maison, je suis fatiguée…

– Alors on va rentrer. Le vol pour Londres est dans deux heures, on va aller l'attendre dans un endroit plus gai.

Il se leva, elle s'agrippa à son bras pour se mettre debout, murmura : « Je n'ai plus de force, je n'ai plus de force du tout » – et glissa à terre avec un petit cri.

Autour d'eux, on accourut. De la main ouverte de Sarah glissa un petit flacon de gélules, mortelles à haute dose, dérobé dans sa chambre à l'insu d'une infirmière débordée ou négligente.

Pour une fois, Sarah avait eu de la chance : elle succomba rapidement, sans s'être réveillée.

L'hôpital s'efforça d'étouffer le scandale de cette mort sans ordonnance. Si Denis avait été procédurier, il aurait obtenu de sérieuses indemnités, ce que lui firent immédiatement valoir deux ou trois avocats pressés de s'en mêler. Il exigea seulement que l'infirmière soupçonnée d'être fautive ne soit pas inquiétée. Il lui avait dit : « Si on vous embête, prévenez-moi » – et lui avait laissé son adresse. Elle avait eu les larmes aux yeux pour lui répondre : « Merci. Les gélules, c'est pas moi, je vous jure, c'est mon collègue du matin qui a oublié de les enfermer. Mais le sûr, c'est que votre mère, elle voulait vraiment mourir. Elle nous a

suppliées de l'aider. Alors, n'ayez pas trop de peine... »
C'était une brave fille.

De formalité en formalité, Denis passa quarante-huit
heures sinistres à San Diego, qui est pourtant une ville gaie.
Mais, précisément, cette gaieté exubérante, ostentatoire,
blessait son cœur souffrant.

Parmi les promesses qu'elle lui avait arrachées depuis
qu'elle se savait malade, Sarah désirait être incinérée – « brû-
lée comme l'a été ma petite sœur », disait-elle. Pendant que
Denis attendait, seul, au crématorium de San Diego, que la
dépouille de sa mère soit réduite en cendres et qu'on les lui
remette dans un récipient, il eut envie de hurler au secours.
« Au secours, Marie, au secours, Bess ! Qu'est-ce que j'ai fait
pour être seul le jour où j'enterre ma mère ? »

C'est très long, une crémation. On a le temps d'attraper
une bronchite quand il fait froid, en tout cas de broyer un
stock remarquable de sombres pensées.

Calé dans un fauteuil de premières sur un vol San Diego-
Londres, les cendres de sa mère dans la soute, un whisky sur
glace à la main, la presse anglaise sur les genoux, Denis
commençait à renaître lorsque l'hôtesse se pencha sur lui
pour lui suggérer de boucler la ceinture sur laquelle il était
assis. Elle sentait *Opium*, son parfum préféré, la fente de son
chemisier laissait apercevoir la naissance d'un sein, ses
cheveux blonds étaient serrés dans un gros chignon : tout ce
qu'il aimait. Elle se redressa, ils échangèrent un sourire. « Ni
vu ni connu, le temps d'un sein nu », Denis eut l'impression
que le sang se remettait à couler dans ses veines.

22

Ici, c'est à nouveau moi, Bess, qui parle. J'ai ramassé les morceaux de cette famille en miettes.

Denis, d'abord. Il est rare qu'on vive bien la mort de sa mère. Pour les raisons que l'on sait, le lien entre Sarah et son fils avait été intense, de part et d'autre, tissé de culpabilité, marqué d'un sceau tragique. Denis fut très secoué. J'ai cru qu'il allait alors se retourner vers ses parents adoptifs, en tout cas vers Agnès, pour retrouver la chaleur maternelle – mais non. Il y avait incompatibilité entre Agnès et Sarah, et, en fait, de la part d'Agnès, si bonne qu'elle fût, une critique muette et permanente du personnage de Sarah, de ce qu'elle avait osé faire. Ces deux femmes n'avaient pas vécu sur la même planète. Toutes les consolations qu'Agnès voulait prodiguer à Denis sonnaient faux. Il a passé quelques jours à Montcomble, puis il est reparti, écorché.

En ce moment, il est en train de réorganiser la galerie sans Sarah ; il a engagé un nouveau garçon assez brillant, il s'est beaucoup rapproché de Marie, qui vient souvent. J'essaie obstinément de mettre des femmes agréables sur son chemin, mais l'appétit n'y est pas, ou alors il me le cache. Il cache beaucoup, Denis, quand il s'agit des femmes...

Marie, je ne sais ce qui lui est arrivé au juste, un amant qui est mort brutalement, je crois, elle donne l'impression d'une personne qui sort d'un incendie.

Sur leurs deuils respectifs, à Marie et à Denis le Grand, s'est greffé l'incident avec Denis le Petit, qu'ils ont vécu unis et, à mes yeux, de façon exemplaire. Le garçon s'est mal conduit, il fallait lui donner une leçon. Mais Denis le Grand est plus faible avec lui que Marie. Elle a un caractère de fer. Je connais très peu de mères qui auraient réagi comme elle.

Cependant cette histoire-là n'est pas terminée. Je dirais même que les relations de ce gosse avec ses parents et avec ce judaïsme dont, au fond de lui, il ne veut pas entendre parler, ne font que commencer.

Dans l'immédiat, Marie et Denis se font en silence un sang d'encre, parce qu'ils sont sans nouvelles de leur fils depuis plus d'un mois. Les portables ne fonctionnent pas avec l'Inde, en tout cas dans plusieurs zones. Je connais un peu la péninsule, et même assez bien. C'est un pays où le temps n'a pas la même dimension, où le sacré est indiscernable du profane, où l'on ne pense plus à consulter sa montre. On est vite absorbé par quelque chose d'indicible avec des mots occidentaux, et à un certain moment on n'a plus envie de rentrer. On connaît des gens qui sont partis en Inde pour quinze jours et qui y sont restés dix ans, baignant dans une sorte de spiritualité domestique.

– Denis n'a aucune disposition mystique, m'a dit son père. Je ne sais pas ce qui l'a attiré là-bas.

– C'est que nous vivons en province. La Grande-Bretagne, la France, l'Europe en général, c'est la province du monde, pour la jeunesse. Une sorte de vieille tante égoïste et milliardaire dont on attend qu'elle crève. Ils croient n'avoir plus rien à y découvrir, ou à y risquer, encore moins à y changer. Alors, tout dépend des tempéraments. Il y a les entrepreneurs, les fonceurs, qui filent aux États-Unis parce que la puissance, les défis, la création sont là… Et puis il y a les romantiques, les rêveurs qui courent pendant leurs vacances au Mexique – ah, le Chiapas ! –, aux Philippines, à la recherche d'une autre manière de vivre, d'un autre système social, une autre idée de l'homme. Ils font connaissance avec la misère, la vraie, dont ils n'ont pas idée en Europe, et ça ne leur fait pas de mal de prendre par exemple Manille dans l'estomac, mais, sauf en se laissant pousser la barbe, signe obligé de la part que l'on prend au malheur du monde, ils s'engagent rarement dans l'action pour le réduire, ce malheur, parce que c'est un peu plus difficile que de le déplorer et d'en faire grief aux États-Unis. Non que j'exonère ceux-ci de leurs responsabilités dans les désordres du monde, mais là, dans l'esprit public, on en est au niveau du dessin animé : la petite souris mangée par le gros méchant loup !

– Et tu classes Denis le Petit dans quelle catégorie ?

– Je ne sais pas. Je lui crois un esprit pragmatique, comme toi, sensible à la réalité des choses, à leur profonde éternité, y compris celle de la nature humaine. Mais, dans le même temps, il ne peut échapper à la pression de l'environnement compassionnel pleurnichard où ils vivent tous, qui les fait s'étrangler d'indignation quand tu renvoies un employé qui vole. C'est le moins qu'on puisse attendre d'un garçon qui n'a pas vingt ans et qui est encore tendre comme un jeune artichaut !... Ce qui me paraît beaucoup plus préoccupant, je te l'ai dit, ce sont ses écarts de langage, qui révèlent l'existence d'une tumeur qu'il faut opérer.

– Je n'en ai pas envie, dit Denis. D'ailleurs, je crois que c'est impossible. Je suis bien placé pour savoir que personne n'a envie d'être juif sans nécessité, puisque c'est un fardeau de plus ajouté à tous les fardeaux de la vie... Ce qui n'exclut bien sûr pas que l'on en soit éventuellement fier, et qu'on porte ce fardeau avec dignité, voire avec orgueil. Mais ce qu'expriment les sorties de Denis, c'est le reflet de ce qu'il entend autour de lui, ou qu'il craint d'entendre : l'antisémitisme des domestiques et des snobs, la peur de l'exclusion... À l'origine de cette tumeur dont tu parles, il y a peut-être eu une nourrice stupide, il y a sûrement la mère de Marie, qui est folle, il y a probablement un ou deux camarades de classe à la considération desquels il est attaché et qu'il craint de perdre s'il se révèle à eux comme juif... J'aime ce garçon. Je n'ai pas du tout envie qu'il soit malheureux. Et, comme tu me connais, je me fous éperdument qu'il se cherche des ancêtres chez les Groot ou chez les Stern.

« Mon seul lien réel avec le judaïsme, c'était Sarah. C'est à cause d'elle que j'ai eu envie de comprendre quelque chose à l'histoire spécifique du peuple juif, quand on m'a appris que j'en faisais partie... Je ne regrette pas ces heures d'études. Elles ont été fécondes et m'ont aidé à trouver un sens à ma vie. Je recommanderais volontiers l'étude de la Torah à tous les gens en mal de "repères", comme on dit aujourd'hui. Mais cela ne m'a pas naturalisé "juif" pour autant. C'est pourquoi je peux dire en toute honnêteté que je ne souhaite pas voir Denis le Petit me rejoindre dans cette espèce de *no man's land* spirituel assez ingrat où je suis.

« Si je ne m'en suis pas trop soucié, c'est parce qu'il me paraissait à la fois normal et inévitable qu'il choisisse la religion de sa mère, qu'il adore et dont il porte le nom. J'attendais donc paisiblement qu'il fasse part de la décision dont nous l'avions délibérément, avec Marie, laissé libre. Et puis, voilà qu'il gâche tout avec ses manifestations d'antisémitisme vulgaire qui m'obligent à réagir et qui nous posent en ennemis…

À cet instant, mon téléphone sonna, incongru à cette heure. Je le bloquais toujours quand je me trouvais avec Denis, que l'indiscrétion des portables exaspérait. Mais, ce soir-là, j'attendais un message de Chicago. Je répondis donc : c'était Marie. Sa voix était très vive, excitée.

– Bess ? Es-tu avec Denis ? Il a encore bloqué son téléphone, cet idiot ! Dis-lui que j'ai des nouvelles de Denis le Petit. Si ça l'intéresse, qu'il m'appelle…

Je transmets. Denis se jette sur son appareil. Puis me raconte ce que Marie lui a dit, à savoir que les amis de Denis sont rentrés, que le voyage s'est bien passé, avec les mésaventures d'usage ; passeports volés, piqûres de scorpions qui n'en étaient pas, etc. Ç'avait été génial, absolument génial… Denis le Petit, lui, n'était pas rentré. Il ne pouvait prévenir lui-même, parce que la téléphonie mobile fonctionnait mal depuis l'Inde. Aussi avait-il chargé Jean-Loup d'appeler Marie, sitôt rentré. « Mais où est-il ? avait demandé Marie. Que fait-il ? – Parti

211

en Chine avec Mariette, avait répondu Jean-Loup. Il fait des photos. Et il les vend ! Il se fait plein d'argent… – Et quand compte-t-il rentrer ? – Quand il n'en aura plus, je suppose. Il vous donnera de ses nouvelles de Chine par *mail*, c'est plus sûr. N'oubliez pas de relever votre courrier… »

Denis le Grand s'était précipité sur son ordinateur. Mais aucun message ne l'attendait. Il refit ce geste trois fois par jour pendant toute une semaine, de plus en plus nerveux. Entre-temps, il appelait Marie pour savoir si son appareil faisait silence, lui aussi. Enfin, un soir, quelques lignes s'inscrivirent dans la case des « messages reçus » :

« Salut ! Comment ça va ? Moi, je vais très bien, je m'amuse, je travaille et je ne vous en veux pas ; vous êtes plutôt pas mal, comme parents… Mais il faut qu'on en parle. Je suis à Shanghai et je pense rentrer samedi avec Mariette. À propos : rassurez sa mère qui bombarde de télégrammes l'ambassade de France : sa petite poupée va on ne peut mieux. Personne ne l'a encore violée. D'ailleurs, les Chinois n'aiment pas les blondes. *Love* ! Denis.

« P.S. – Si vous passez par Roissy à 8 heures du matin, on vous offrira un café. »

Assommé par la mort de Sarah, ravagé par l'absence silencieuse de son fils, Denis avait passé quelques semaines difficiles en dépit d'une excellente hygiène mentale qui lui avait appris à ne jamais confondre malheurs et contrariétés. Perdre Sarah avait été un malheur. S'opposer à son fils était une contrariété. Il fallait remettre les choses à leur place.

Sarah lui manquait physiquement. Depuis qu'elle avait habité Londres avec lui, elle était devenue le point fixe de sa vie. Homme volage qui se rêvait fidèle, il avait trouvé en elle un objet de fidélité qui ne prétendait pas l'attacher. Ce moment de la fin de l'après-midi où ils prenaient ensemble le whisky du soir et faisaient le point sur leur journée était devenu une halte précieuse. Comme il l'avait suggéré sous forme de plaisanterie quand il voulait la convaincre de le suivre en Grande-Bretagne, Sarah l'avait protégé d'héberger chez lui une femme qui aurait fini par se faire épouser, qu'il aurait donc prise en grippe – et alors, que d'ennuis !

Comme il ne manquait pas de lucidité sur lui-même, il sentit qu'il convenait d'être très prudent sur le chapitre des femmes jusqu'à ce qu'il fût guéri de la mort de Sarah, et qu'il ne fallait pas en laisser une de moins de quarante ans, avec un chignon blond, mettre les pieds dans la maison. Bess fut prévenue et chargée de prévenir à l'entour : Denis Sérignac n'était pas à prendre.

Derrière ce mur de sécurité, il se serait morfondu s'il n'avait eu beaucoup de travail sur un chantier ouvert depuis quelques mois déjà. Un nombre imposant de toiles de grand prix avaient été retrouvées dans l'Est de la France. Quelques-unes avaient été identifiées, leurs propriétaires, pour la plupart Juifs de France, de Hollande ou d'Allemagne, disparus, mais l'origine des autres restait inconnue, de divers côtés on les revendiquait... Une petite association d'héritiers potentiels s'était formée. Denis avait été pressenti, avec un historien d'art et un célèbre policier à la retraite, pour éclaircir une situation passablement embrouillée.

Malgré la charge de travail que cela représentait, il avait accepté à condition de bénéficier de l'aide de deux assistants et que les toiles fussent entreposées dans un lieu facilement accessible en avion.

Ce qu'il découvrit peu à peu était hallucinant. Non seulement les plus grandes signatures, mais la plus grande qualité : un Rembrandt, un Rubens, un Carpaccio, un Courbet... Ces toiles avaient manifestement été volées par ou pour quelqu'un qui savait de quoi il s'agissait. C'était probablement l'équipe de Gœring qui avait procédé à cette rafle somptueuse.

Reconstituer la généalogie de chaque toile, l'identifier, l'authentifier, retrouver son propriétaire fut une longue entreprise. Il y avait des ayants-droit arrogants pour qui les rapines allemandes constituaient des injures personnelles dont tous les Français étaient collectivement coupables ; d'autres, au contraire, avaient décidé de faire don à des musées français des œuvres récupérées.

Denis se lia d'amitié avec un vieil homme ironique qui lui dit :

– J'espérais retrouver un Klimt... Vous me proposez un Raphaël. Que voulez-vous que je fasse d'un Raphaël ?

– Tout indique qu'il était à vos parents !

– Bien sûr. Je l'ai vu durant toute mon enfance dans le bureau de mon père. En passant devant, je me frottais sournoisement contre le sein de la Vierge... Mais cette peinture m'ennuie à mourir...

– Vendez-la et achetez de la peinture d'aujourd'hui. Vous en tirerez un très bon prix et vous pourrez faire quelques achats plus excitants, prendre des risques...

Les yeux du vieux monsieur pétillaient comme sous l'effet d'un verre d'alcool.

– On m'a parlé d'un certain Barcelo : ça vous dit quelque chose ?

– Bien sûr, répondit Denis. Miguel Barcelo, un Espagnol qui a « éclaté » il y a déjà deux ou trois ans. Si vous venez à Londres, je vous en montrerai... C'est très bon !

Le vieux monsieur était tout émoustillé. Denis reconnaissait chez lui le signe du désir quand il anticipe le plaisir d'une découverte, et le lui dit :

– Cette capacité de désirer, de convoiter, c'est cela qui vous tient droit comme un jeune homme ?

– Absolument, reconnut le vieux monsieur. Et du jour où ce désir ne peut plus avoir une femme pour objet, quoi de mieux que la peinture ?

Il promit de venir à Londres. D'ailleurs, il avait connu le prédécesseur de ce Denis Sérignac avec lequel il avait maintenant le plaisir de s'entretenir.

– Holzer... Il m'a sauvé la vie, dit-il. Je me trouvais en Grande-Bretagne en juin 40 en qualité d'interprète... Devant l'effondrement de la France, j'ai voulu rentrer, j'ai demandé une permission... C'est Holzer qui m'a dit : « Vous êtes fou ! Rentrer pour quoi faire ? Sauver vos biens ? Sachez que de toute façon ils vous seront volés. Ce que les Allemands ne vous prendront pas, les Français vous le confisqueront. Quant à votre peau de Juif, je n'en donne pas cher... Croyez-en quelqu'un qui a connu 1933 en Allemagne. Ce sera terrible, mon ami, terrible ! » J'objectai que je ne craignais rien, que j'étais officier français avant d'être juif. Il m'a ri au nez : « On n'est rien avant d'être juif, mettez-vous ça dans la tête, si vous voulez vivre en ce siècle obscène, et restez dans ce pays où l'on est tout de même beaucoup plus civilisé... » Je l'ai écouté. Plus tard, je me suis engagé dans les Forces françaises libres, j'ai perdu un bras à Bir Hakeim... En France, mes parents, qui se croyaient intouchables parce qu'ils dînaient chez Paul Reynaud, ont été déportés et grillés, les biens dont vous voyez ici quelques reliques, confisqués... La routine, quoi !... Mais ma peau était sauvée, comme aurait dit Holzer, grâce à son intervention, et je vis dans cette peau depuis plus de cinquante ans, maintenant, avec l'impression troublante de faire un « rabiot » que je n'ai pas mérité. Mais je vous dérange dans votre travail, je vous ennuie avec des histoires qui n'intéressent plus personne... Pardonnez-moi, monsieur Sérignac...

— Vos histoires, comme vous dites, m'intéressent beaucoup, monsieur, au contraire, lui dit Denis, et j'espère que j'aurai le plaisir de vous revoir à Londres. Barcelo, rappelez-vous...

23

Venant de Pékin, l'avion se posa à huit heures pile sur le tarmac de Roissy. Il fallut une bonne heure pour que les bagages suivent et soient minutieusement inspectés par la douane. Denis le Petit tremblait pour son équipement photographique, bien que, se fiant à l'expérience de Marie qui connaissait toutes les douanes au monde, il se fût muni de toutes les factures souhaitables. Néanmoins, on le fouilla, et Mariette aussi, des pieds à la tête.

– Qu'est-ce que vous cherchez si bien ? s'enquit Denis auprès d'un douanier, tout en remettant une petite tonne de linge sale dans son sac.

– Celui qui vous l'a demandé, envoyez-le-moi, répliqua le douanier, goguenard.

Avec Mariette, ils franchirent enfin les dernières portes séparant les voyageurs de ceux qui les attendaient.

Marie trépignait en silence. La mère de Mariette l'avait repérée, s'était présentée et, depuis, n'avait pas cessé de pépier, avec ce tic commun à beaucoup ae femmes, consistant à commencer toutes ses phrases par « mon mari ».

217

Ça n'est pas méchant. Il n'était pas si mal, ce couple qui se résignait à voir sa fille unique voyager en Inde et en Chine avec trois garçons, au lieu d'aller nager à Arcachon où « *mon mari* vient de faire construire »…

Enfin Denis le Petit fut là et prit Marie dans ses bras. Ils restèrent ainsi un instant, Marie les yeux fermés sur des larmes qu'elle contenait, lourds l'un et l'autre d'un non-dit imprononçable. Mais, très vite, le garçon s'inquiéta :

– Denis n'est pas venu ?

– Non, répondit Marie. Je ne l'ai pas vu.

– Il est encore fâché avec moi ?

– Peut-être. Je ne sais pas.

Mariette et sa mère s'approchaient pour demander :

– Vous avez une voiture pour rentrer ?

– Oui, fit Marie. Et vous ?

– Nous aussi. Alors, au revoir ! On s'appelle ?

La jeune fille entraîna énergiquement sa mère vers le parking alors que la pauvre femme aurait manifestement bien fait un bout de conversation supplémentaire. Elle eut un pauvre geste d'adieu et une mine désolée à l'intention de Marie, puis disparut.

La nouvelle voiture de Marie était l'une de ces petites boîtes au nez rond, divertissantes, qui se glissent n'importe où. Elle dormait au parking entre une Mercedes et une grosse Citroën. Denis, qui faisait sa connaissance, la considéra avec un mépris glacé avant de s'introduire dedans.

La route était déjà encombrée, compliquée par des travaux. Marie conduisait lentement en lâchant des imprécations à l'usage des automobilistes qui la frôlaient ou parvenaient à la dépasser. Comme beaucoup de femmes bien élevées, elle révélait dans ces cas-là un vocabulaire d'une richesse inattendue.

– Où va-t-on ? demanda Denis.

– À la maison, et même directement sous la douche. Tu schlingues, mon vieux ! Cela fait combien de temps que tu ne t'es pas lavé ?

– Pardon, mais je n'ai pas eu tellement l'occasion, là où j'étais…

– Raconte un peu…

– Pas maintenant. Je te raconterai avec mes photos, tu verras tout de suite que je n'ai pas fréquenté les cinq-étoiles ! »
Il hurla :

– Attention ! Tu n'as pas vu, ce mec à gauche, il va te pulvériser !

– Connard ! vociféra Marie à son tour. T'as appris à conduire dans des chiottes, c'est ça ?

Un feu rouge sépara opportunément les combattants.

– *Take it easy* ! dit Denis. On n'est pas pressés.

– Un peu tout de même, objecta Marie. Je prends l'avion à midi pour Rome, et je n'ai pas bouclé ma valise.

– Qu'est-ce que tu vas faire à Rome quand tu pourrais te consacrer à ton fils chéri ?

– Comme d'habitude : une réunion d'experts internationaux.

La route se dégageait un peu. Marie réussit à se faufiler.

– Cette voiture ne te va pas du tout, déclara soudain Denis.

– Pourquoi donc ?

– Avec tes jambes longues, tes joues creuses… Tu as plutôt un *look* à cabriolet Mercedes. Ce que tu conduis là, c'est pour une petite brune boulotte !

– N'importe quoi ! protesta Marie. Tu es pire que ton père ! Vous êtes des esthètes décadents.

– Il m'a éduqué l'œil, c'est vrai ; il m'a enseigné à discerner le beau.

– L'ennui, c'est qu'ensuite on souffre excessivement du laid. Or, aujourd'hui, on est cerné par le laid…

Marie désigna la route :

– Regarde cette avenue… Ces immeubles affreux… Ces filles qui traversent, vêtues comme des clowns, le nombril à l'air… Ces publicités hurlantes…

– On en voit autant à Shanghai, dit Denis. Pas aussi envahissantes, mais… C'est la fiente du capitalisme.

– Ailleurs, c'est la propagande qu'on affiche, la tête du chef, des slogans… Est-ce mieux ?

– Ce n'est pas la question. Il ne faut ni l'un ni l'autre. J'ai écrit quelque chose là-dessus dans un journal indien, pour accompagner mes photos. Je te montrerai.

– Tu as écrit sur le capitalisme ? Sans blague ! dit Marie.

– Écoute, quand on lit les conneries que les spécialistes débitent depuis quelques mois, comment ils se gourent dans leurs prévisions, je ne vois pas pourquoi mon point de vue serait méprisable… Bon chien de chasse de race, après tout ! T'es économiste, non ?

– Incontestablement. Aurais-tu choisi de t'inscrire à Dauphine, pour finir ?

– Je me donne encore quinze jours pour décider. Sinon, j'irai faire ma vie en Chine. C'est là qu'est l'avenir, le cœur du monde va s'y retrouver quand il aura quitté les États-Unis… C'est là-bas que l'on entreprendra, que l'on investira, que l'on créera. Tiens, regarde leur cinéma… Parce qu'ils en veulent ! Ils ont l'impression que c'est leur tour de dominer la planète, par un juste retour des choses… Et ils entendent bien ne pas le manquer. À Shanghai tu ressens ça presque physiquement. Et si tu regardes les notes qu'obtiennent les étudiants chinois dans les grandes universités américaines, tu constates qu'ils sont en tête partout. On m'a montré les chiffres, là-bas. Dans l'informatique, il y a aussi les Indiens qui sont au top niveau. » Il imita la voix haut perchée d'une précieuse pour ajouter :

– Ah, ma chère, le monde n'est plus ce qu'il était ! Où allons-nous, ma pauvre ! Où allons-nous !?

– Tu as probablement raison. Le processus est engagé, mais il sera long. Alors, commence par Dauphine où tu absorberas des connaissances indispensables dans le court terme, et apprends le chinois à Langues O. Ainsi, tu partiras armé. Tu es tout à fait capable de coupler les deux…

– Je peux, oui…

– Tu devrais en parler à Denis.

– Si lui veut me parler, il sait où me trouver. Il n'est pas pressé de me voir ? Moi non plus. Il m'a chassé de chez lui ; je me considère comme l'offensé.

De surprise, Marie faillit emboutir un camion qui avançait devant elle à petite allure. Le violent coup de freins envoya Denis dans le pare-brise.

– Mais qu'est-ce que tu fais ? Tu es fatiguée ? Tu veux que je prenne le volant ? dit-il.

– Non, pardon, c'est mon antidépresseur. Très mauvais pour les réflexes sur la route : j'avais oublié…

Ils roulèrent encore un quart d'heure en silence, sans incident, puis Marie trouva une miniplace pour ranger sa voiture devant sa porte, et triompha modestement.

– C'est vrai, reconnut Denis, qu'elle est commode, ta boîte à savon. Mais il faut que je m'habitue à te voir là-dedans…

À peine le temps d'embrasser Félicia, de réclamer café et croissants, il déploya son matériel sur la table du petit déjeuner, somma Marie de s'asseoir et projeta sur l'écran de son ordinateur une trentaine de photos. Il signala celles qu'il avait vendues, fournit quelques indications de lieux, de personnes. Marie était impressionnée : c'était vraiment du bon travail, très personnel.

– Et tu comptes vendre ça à qui ?

– Je ne sais pas. Des agences. Peut-être directement à un magazine… Il faut que je prospecte. Je n'ai pas beaucoup de relations dans ce milieu-là.

– À Londres, Denis en a. Il pourra sûrement t'ouvrir une ou deux portes…

– Peut-être bien, mais je préfère ouvrir mes portes sans lui.

Marie disparut dans sa chambre en lançant :

– Alors, demande à Bess. Elle t'adore et connaît tout le monde…

Le garçon traîna un peu, engloutit quelques croissants, appela Félicia pour qu'elle le savonne dans son bain, enfila des vêtements propres, lut de bout en bout *Le Monde* de la veille abandonné sur un fauteuil…

Marie avait parfaitement compris ce qu'il attendait en rôdant autour d'elle : qu'elle appelle Denis le Grand et lui dise : il est rentré, je te le passe. Mais elle n'était nullement disposée à jouer les bons offices entre le père et le fils. Redoutant des étincelles entre les deux Denis dès que le contact serait rétabli, elle avait décidé que cela se passerait sans elle. Ensuite, en fonction des dégâts, elle aviserait.

Depuis quelque temps, elle trouvait que Denis avait tendance à se conduire en mari, en propriétaire, à l'instrumentaliser, et cela l'horripilait. Ce qu'elle aurait accepté vingt ans plus tôt, parce qu'elle était amoureuse, ô combien, lui paraissait maintenant hors de propos. Depuis, elle avait fui les chaînes, bafoué toutes les conventions, ce n'était pas pour s'engluer dans une parodie de vie conjugale avec vue sur la télévision où Denis semblait vouloir s'enfoncer depuis la disparition de Sarah.

Le téléphone tinta. Denis se précipita. C'était le chauffeur, commandé par Marie, qui signalait son arrivée. Le garçon prit la valise des mains de sa mère :

– Tu as un joli tailleur. En somme, tu te mets en frais pour tes Romains... Tu rentres quand ?

– Mardi, mercredi... Je t'appellerai. Toi, qu'est-ce que tu vas faire aujourd'hui ?

– Je vais téléphoner à des copains, reprendre des contacts...

– Si tu veux les avoir à déjeuner, préviens Félicia. Si tu veux dîner aussi. Tu as de l'argent ? Non, j'imagine... Voilà. Et voici les clefs de ma ridicule petite voiture, si tu ne trouves pas mieux pour te déplacer...

– Ça, c'est chic ! s'écria Denis. Si tu voyageais un peu moins, tu serais une mère parfaite !

Il regarda le taxi filer non sans éprouver une petite angoisse. Il se sentait à la veille d'un affrontement avec son père et Marie n'aurait pas été de trop pour amortir les coups.

Félicia apporta une lettre en disant :

– Il y a quelque chose pour toi. Ça traîne là depuis des jours.

Enveloppe banale, timbre étranger. Mais il reconnut aussitôt l'écriture. Celle d'Hubert, ce précepteur matheux qui avait fait de lui le meilleur élève de l'École bilingue avant de disparaître subitement. C'était à peu près au moment où Denis le Grand s'était incrusté dans la vie intime des De Groot mère et fils. Le petit Denis n'avait jamais établi de lien entre ces deux événements. Mais, maintenant, il allait le voir, gros comme une maison !

Il se souvenait d'Hubert comme d'un échalas introverti et nécessiteux qui bafouillait devant Marie mais qui possédait un vrai talent de pédagogue. En maths et en allemand, il l'avait hissé en tête de sa classe et il lui avait enseigné une centaine de poèmes qu'il savait encore. Mais pourquoi avait-il brutalement disparu, sans un mot, après tant d'années, et pourquoi Denis n'avait-il jamais reçu de réponse à sa demande d'explications ? Il se sentait devant un tiroir fermé dont il aurait perdu la clef.

Il tourna et retourna la lettre d'Hubert comme si elle contenait quelque substance dangereuse. Enfin, il l'ouvrit et la lut.

Le ton était enjoué, affectueux ; l'ancien précepteur évoquait les jours heureux où Denis apprenait par cœur avec lui les poèmes de Höderlin – « C'est le plus beau cadeau que je t'aie fait » –, les après-midi studieux, coupés d'une tasse de

224

bon chocolat préparé par Félicia – « Elle me détestait, Félicia, pourquoi est-ce qu'elle me détestait ? Quand je te l'ai demandé, tu m'as répondu avec cette lucidité effrayante des enfants : "Félicia déteste les pauvres." Et j'étais pauvre, en effet, encore plus que ça. Cet emploi où j'étais bien traité, bien nourri trois fois par semaine, heureux d'avoir avec toi de si bons résultats, épris de ta mère mais sans illusions, ver de terre amoureux d'une étoile, cet emploi m'a sauvé la vie en me permettant de poursuivre mes études. (À propos, je suis agrégé d'allemand). Et puis le Juif est arrivé… Je t'avais toujours mis en garde contre les Juifs. Autrefois, on les reconnaissait à l'odeur, parce qu'ils puent, mais maintenant, avec le fric qu'ils ont, ils se paient des eaux de toilette de Dior. J'espère que tu continues tout de même à les repérer. Ta mère, elle, ne doit pas avoir le nez fin. Elle n'a pas compris que celui-là s'était introduit chez elle pour accaparer sa fortune. Le Juif est toujours un prédateur, notre Église l'enseigne. Il a fait croire qu'il était ton père, ton père que personne n'avait jamais vu. Qu'il avait connu ta mère autrefois. Où est la preuve ? Un voile trouble enveloppait tout cela : cette idée juive d'habiter Londres quand on est français… Quant à toi, enfant d'un Juif ? Je l'aurais tout de suite flairé. Pour cela, j'ai un radar, un discernement infaillible… Tu m'aurais dégoûté. Alors que je n'ai cessé de t'aimer, mon petit ange, dès le premier instant… Sous prétexte qu'il savait l'allemand aussi bien que moi, le Juif s'est mêlé de nos travaux et m'a déconsidéré à tes yeux, si tu crois que je ne m'en suis pas aperçu !… J'en pleurais, la nuit. Voleur né comme ils sont tous, il m'a volé mon petit garçon… ».

Il y en avait ainsi des pages et des pages. Denis le Petit lisait, ému par l'évocation de ce passé qu'il avait oublié, enfoui dans les poubelles de sa mémoire. Mais il comprenait mieux maintenant d'où lui venaient ces « sales Juifs » qu'il proférait à tort et à travers dès qu'il était en colère, quel venin avait été versé pendant des années dans son café au lait du matin. Et il en éprouva un intense soulagement. Ce n'était donc pas une pourriture qu'il portait dans ses gènes. Mais un trait acquis dont il pouvait se défaire.

Brusquement lui revinrent alors à l'esprit certains gestes équivoques d'Hubert quand il insistait pour le baigner, le soir, ce qui ne faisait nullement partie de ses attributions. Denis avait même dit à Félicia : « Hubert, il a des mains qui traînent partout... » Alertée aussitôt, Marie avait sur-le-champ expédié Denis le Petit à Londres, chez son père.

Quand il était revenu, Hubert avait disparu. Flairant quelque chose de louche, il avait attendu que sa mère lui donne des explications. Marie avait invoqué un vague prétexte : Hubert surpris en train de voler Félicia... Mais avec qui est-il plus difficile de parler franc qu'avec ses enfants ? Même une femme éclairée comme Marie n'avait pas su le faire.

Denis croyait avoir tout oublié. Et voici que la lettre d'Hubert réveillait un passé vivant, des questions éternellement laissées sans réponses qu'il n'avait d'ailleurs pas osé poser.

Pourquoi Hubert se réveillait-il aujourd'hui, que voulait-il ? Quel était l'objet de sa lettre ? Dénoncé par un collègue juif, écrivait-il, il avait écopé d'une condamnation avec sursis pour participation à une de ces sinistres sauteries où des adultes, hommes et femmes, libèrent des pulsions sexuelles dont les objets sont obligatoirement des enfants. « Je n'ai rien fait, poursuivait-il, rien. J'ai regardé. On m'a entraîné pour me perdre. Cette condamnation, bien qu'elle soit légère et assortie du sursis, me ferme toutes les portes. L'une d'elles est cependant entrouverte : le directeur d'une petite institution privée que j'ai connu quand j'étais étudiant est prêt à m'engager si je peux produire des "certificats de moralité" émanant d'anciens élèves aujourd'hui adultes, attestant que je les ai bien instruits et traités avec tout le respect que l'on doit à des enfants. Accepteras-tu de faire un tel certificat ? »

Denis suffoquait d'indignation : « Bouffeur de Juifs et pédophile, c'est complet ! Ah, je peux me vanter d'avoir reçu une éducation raffinée !... Bon, qu'est-ce que je fais ? Si je lui réponds maintenant, je vais l'insulter. D'ailleurs, je ne lui répondrai peut-être pas du tout. Cette lettre est vieille de plusieurs semaines... Le pauvre mec. Je n'ai aucune envie de penser à lui, ça me dégoûte, toute cette histoire, mais je n'ai pas envie non plus de le laisser dans la merde sous prétexte qu'il est un peu zinzin... »

Hubert donnait une adresse où lui écrire en Allemagne, et un numéro de téléphone. Mû par une impulsion subite, Denis composa le numéro. Une femme répondit en allemand. C'était une pension de famille. Il demanda Hubert Lüring. « Le professeur n'habite plus ici, indiqua la femme. – Vous savez où je peux le joindre ? – Non, reprit la femme. Il est parti à l'étranger. »

227

Denis se sentit mal de ne pas avoir pu lui répondre. Et frustré de n'avoir pu le tenir devant lui pour exiger le nom de son vrai père, puisque Hubert semblait le connaître... Mais s'il avait menti par haine de Denis le Grand ? Plus que jamais, il lui fallait savoir quel sang coulait dans ses veines.

Il chercha l'agenda-maison de Marie, celui répertoriant les fournisseurs, les taxis, le fleuriste, le Samu, etc. Les numéros personnels étaient ailleurs, dans son sac. Où trouver celui d'Arno, le copain médecin de Denis le Grand ? Il le connaissait depuis l'enfance, mais n'avait aucune idée de son adresse personnelle. Il appela l'hôpital, remua ciel et terre, finit par obtenir ce qu'il cherchait.

« Je lui téléphone ? Non, j'y vais. On verra bien. Il ne va pas me jeter dehors. »

Il sauta dans la petite voiture de Marie, courut chez Arno, s'inséra entre deux patients en passant la tête par la porte qui séparait le salon du cabinet de consultation et en jetant tout à trac :

– Je voudrais être sûr que je suis le fils de mon père. Est-ce que le test ADN peut me le dire ?

– Certainement, répondit Arno, interloqué.

– Et comment dois-je m'y prendre ?

– Je vais te l'indiquer. Tu as des doutes, ou bien c'est lui qui en a ?

– C'est moi.

– Regagne le salon et attends-moi.

Il avait lu quatre vieux numéros de *Match* quand il fut enfin reçu.

– Raconte, lui dit Arno.

– C'est très simple. Différents indices me donnent à penser que Denis le Grand n'est pas mon père. Je vis très mal cette incertitude, et je veux la lever.

Arno répondit qu'il n'y avait rien de plus facile, qu'il suffisait de comparer en laboratoire des parcelles minimes de chacun des deux individus : des cheveux, de la salive, des rognures d'ongle, un fragment de peau.

– Récolte quelque chose comme ça, glisse-le dans une enveloppe et apporte-le à l'adresse que je t'indiquerai, avec, dans une autre enveloppe, l'équivalent prélevé sur toi. Je suppose que ton père n'est pas au courant ?

– Non.

Se pouvait-il que ces soupçons fussent fondés ? L'expérience d'Arno lui disait qu'en ce domaine, tout était possible. Il ne voulait pas harceler le garçon de questions, mais subodora que son ami Denis Sérignac devait passer un sale moment. Il se souvint de ce dimanche à la campagne où Denis le Petit s'était montré insupportable et où lui, Arno, avait lancé : « Ce morpion ne pardonne pas à son père de coucher avec sa mère ! » Denis le Grand avait alors répondu en s'esclaffant : « Et ce n'est même pas vrai ! » Qu'est-ce que cela voulait dire au juste ?

Denis le Petit remercia, puis, sur le point de partir, demanda brusquement :

– Tu es content d'être juif ?

Arno rit :

– Ce n'est pas le mot que j'emploierais ! D'ailleurs, je n'ai pas choisi. Mais il n'y a que les idiots qui peuvent être contents d'eux-mêmes ! Ça ne me menace pas. Mais toi, petit, tu es content de toi ?

— Pas du tout, répondit Denis le Petit. C'est trop compliqué d'être moi. Je m'embrouille.

— Viens me revoir de temps en temps, on essaiera d'y voir clair…

24

Même lorsqu'on est un grand garçon bien nourri et solide, il y a des moments difficiles à vivre seul.

Remué jusqu'au fond de lui-même, Denis a ce soir-là besoin de partager. Il appelle Mariette, mais celle-ci a promis de dîner avec ses parents. Marie, elle, est injoignable. Bess, voilà ce qu'il lui faudrait, mais où la trouver ? De répondeur en répondeur, il finit par la localiser à Paris, tout simplement.

Il lui dit au téléphone :

– Bess, j'ai besoin de toi.

– Viens. Je te donne le code, il a changé.

Bess le reçoit dans l'aimable et chaleureux désordre de son deux-pièces avec vue sur la Seine. Elle est drapée dans un sari écarlate et s'installe sur son lit en faisant signe à Denis de tirer un fauteuil.

– Qu'est-ce qui se passe, mon petit chat ? Tu m'as fait peur !

– Je deviens dingue, murmure Denis le Petit.

– Raconte. Si tu veux boire quelque chose, tu te sers.

Il va d'abord lancer un hameçon :

– Peux-tu me jurer que Denis Sérignac est bien mon père ?

– Personne ne peut jurer de ces choses-là. Je n'étais pas sous le lit. Mais, autant qu'on puisse être sûr, j'en suis sûre !

– Il n'a pas servi à camoufler un autre homme qui serait, lui, mon vrai père ?

– Où diable es-tu allé chercher une idée pareille ? Tu as le moindre indice ?

– Non. J'ai que j'aime Denis, mais qu'en même temps… une part de moi le déteste. Et que ça me dérange énormément ! C'est pas seulement qu'il me fait chier – ça, c'est normal entre un père et un fils à un certain âge de la vie. C'est qu'il a toujours été adorable avec moi et qu'en retour j'ai envie de l'appeler « sale Juif », et que d'ailleurs je le fais en me servant des plus abominables clichés qui ont cours sur les Juifs. Ça me rend malade et j'ai beau chercher l'explication de cette attitude que je ne peux contrôler, tu l'as bien vu, l'autre soir, elle est en train de gâcher complètement les relations entre nous. Il m'a fichu à la porte, et comme je n'accepte pas qu'on me mette à la porte, je refuse maintenant de le rencontrer. Tu vois où on en est…

– Ça ne peut pas durer, lâcha Bess, consternée.

– Ça ne va pas durer ! Attends que je te raconte… J'ai reçu une lettre, ce matin. Tu as connu ce précepteur que j'ai eu entre six et douze ans, un dénommé Hubert ? Non ? Regarde plutôt ce qu'il m'écrit…

Il tendit la lettre à Bess qui ajusta ses lunettes tandis qu'il allait chercher un Coca-Cola dans le réfrigérateur, mais ce n'était pas le genre de Bess et il dut se rabattre sur une eau minérale.

– Alors ? Qu'est-ce que tu dis de cette lettre ?

Bess était abasourdie.

– Quel cochon, ce type !

– Ça, c'est une autre question, rétorqua Denis. Mais les cochons peuvent dire la vérité… Ce que suggère Hubert, j'ai pris ça en plein dans l'estomac, mais je ne suis pas resté inerte. Dans quelques jours, j'aurai le résultat d'un test ADN qui me dira définitivement si je suis ou non le fils de Denis Sérignac. Selon les résultats, les choses changeront beaucoup. En tout cas, elles seront claires, enfin !

– Ce qui ne changera pas, c'est qu'il y a des Hubert partout, et que contre le virus qu'ils portent, il n'existe pas de vaccin. Ton histoire d'ADN, c'est bien, ça te rassurera. Mais jusqu'à quel point as-tu été contaminé par cet antisémitisme effervescent ?

– Je ne sais pas, répondit Denis. Mais j'ai l'intention de faire une cure.

– Une cure de quoi ?

– Une cure de Juifs.

– Qu'est-ce que tu racontes là ?

– Je veux aller vivre pendant un mois en Israël.

– Ce n'est pas vraiment le moment ! Et puis, tu dis cela comme tu dirais : je veux aller au zoo ! Écoute-moi un peu. Rassure-toi avec ton histoire d'ADN, renoue avec ton père, expulse tous les miasmes dont cet Hubert t'a empoisonné, et commence par étudier le judaïsme. On peut faire ça pendant cinquante ans sans s'ennuyer… Ou pendant un an avec profit !

Denis éclata de rire :

– Me voilà avec un programme chargé, si j'écoute tous les conseils qu'on me donne. Je dois faire simultanément Dauphine, Langues O pour m'initier au chinois, un séminaire de judaïsme pour apprendre qui je suis, et Denis ajouterait bien par là-dessus un peu d'École du Louvre… Vous voulez me tuer !

Il se leva, embrassa tendrement Bess et dit :

– Je vais aller danser, sinon ma tête va éclater… Je te tiendrai au courant !

25

En quittant Bess après cette journée éprouvante qui avait succédé à une nuit sans sommeil, il se sentait moulu. Mariette lui manquait. De sa petite voiture, il appela chez elle :

– Alors, c'est fini, ces agapes familiales ? Tu peux te tirer ? Je t'attends chez Castel... Et pourquoi pas Castel ?... Une boîte de vieux ? Ce n'est pas faux, mais je ne connais pas les nouveaux clubs de Paris... Viens me chercher à la maison, on décidera à ce moment-là.

Denis rentra chez lui et s'étendit avec délices sur son lit après avoir mis un CD de musique un peu sirupeuse, assortie à son humeur. Il s'assoupit. Mariette dut carillonner et frapper à la porte pendant une demi-minute avant qu'il ne lui ouvre. Il se confondit en excuses et avoua qu'il n'avait plus vraiment envie d'aller danser.

Mariette n'y tenait pas non plus, mais avait envie de champagne. Facile. Marie tenait toujours du champagne au frais. La fille suivit Denis à la cuisine où il trouva une bouteille de bonne marque dans le réfrigérateur, et mit deux verres sur un plateau.

– Viens dans ma chambre, dit-il, c'est la plus agréable de la maison. Le living fait un peu trop décorateur italien à mon goût…

Mais il la voyait crispée, pâlichonne.

– Qu'est-ce que tu as, ma mouche ? Dis-moi…

Elle était encore pleine d'une altercation avec sa mère.

– J'ai dix-neuf ans, merde, je suis majeure ! Cette bonne femme me tue, elle me tue ! Elle prétendait m'empêcher de sortir ! Tu l'as entendue, l'autre matin : un vrai moulin à paroles, pour ne débiter que des conneries…

– Ton père est du même genre ?

– Pas du tout, il a fait exprès de se rendre sourd comme un pot pour ne plus l'entendre. Mais, quand il ne peut pas lui échapper, il répond : « Oui. »

– Et toi, tu ne dis pas oui ?

– Moi, j'ai décidé de quitter la maison. Tu pourrais m'héberger quelques jours, le temps que je me retourne ? Mon père ne me laissera pas tomber…

– Ce doit être possible, acquiesça Denis qui faisait confiance à la fibre hospitalière de Marie. Calme-toi, ma mouche, tout le monde a des emmerdes avec ses parents, ce sont de mauvais moments à passer.

– Les tiens, objecta Mariette, tu peux dire qu'ils sont en or !

– On croit ça…

Denis s'était allongé sur son lit ; il fit signe à Mariette de venir s'asseoir à côté de lui.

– Qu'est-ce qu'elle veut, ta mère ?

– Elle veut que je me marie vierge, comme ma sœur, avec le fils d'une de ses amies qui fait l'X…

– Et toi, tu ne veux pas ?

– Non, ce fils est un taré, et quant à l'X, je ferai ça moi-même. Je me suis inscrite en prépa.

Elle saisit la bouteille et remplit son verre vide.

– Écoute, diagnostiqua Denis, c'est très simple, ton affaire. Tu rentres chez toi et tu dis à ta mère : « Je t'annonce que je ne suis plus vierge... Donc, ton projet n'est plus réalisable ! »

– Peut-être que son cœur lâchera ? Génial !

Mariette passa un bras, puis l'autre autour du cou de Denis, et récita sur le ton d'un journaliste de radio :

– À la rubrique *Parents en danger* : Une mère meurt de saisissement en apprenant que sa fille n'est plus vierge. La police a ouvert une enquête !

Elle eut un rire artificiel, trop aigu. Denis lui mit une main sur la bouche :

– Tais-toi... Ce n'est pas le moment de rire, ma mouche. Enlève ta petite culotte, allonge tes jambes et détends-toi... Il ne va rien t'arriver que de très agréable !

Le lendemain matin, Félicia, entrant dans la chambre de Denis, resta un instant interdite. Elle ramassa la bouteille vide, les verres, les vêtements tombés à terre. Puis elle regarda les deux jeunes corps apaisés, lisses, tendres, enlacés sur les draps en bataille ; et elle trouva que c'était bien joli.

Elle les aurait laissés dormir jusqu'à midi, mais déjà le téléphone sonnait.

Il sonna longtemps, jusqu'à ce que Denis réussisse à mettre la main dessus. D'une voix brumeuse, il dit :

– Oui... Où es-tu ?

C'était Marie. Elle était encore à Rome. Retour prévu le lendemain, vers quinze heures. Non, inutile de venir la chercher.

Mariette s'affola en voyant l'heure, et courut derrière sa petite culotte.

– *Cool, cool*, ma mouche... Tu es majeure. La police enverra ta mère sur les roses si elle l'alerte. Les flics ont autre chose à faire que rattraper les jeunes gourgandines dans ton genre ! Habille-toi, on va prendre un petit déj', et puis je te raccompagnerai...

26

Tout cela était bien beau, mais comment fait-on pour soustraire à quelqu'un une mèche de cheveux, un peu de salive, une rognure d'ongle ou une parcelle de peau ?

À peine débarquée de Rome, Marie avait eu droit au récit de la folle journée vécue par Denis. Vêtue d'un peignoir blanc, son chignon dénoué, elle le laissait lui brosser les cheveux comme il faisait autrefois, quand il était enfant et qu'il aimait fourrer son nez dans les longues mèches blondes.

Lorsqu'il en fut à l'épisode de l'ADN, elle eut un vif mouvement de recul, se dégagea des mains de Denis, ramassa ses cheveux en queue de cheval et laissa sèchement tomber :

– C'est très choquant, ce que tu veux faire là… Est-ce que tu te rends compte ? Tu mets en doute ma parole. Denis est ton père. Mais toi, petit malin, tu as décidé d'aller vérifier. Qu'est-ce que c'est que ça ? C'est odieux !

Denis fut violemment ému par la réaction de sa mère. Il avait pensé à tout, sauf à cela. Il la supplia de comprendre sa démarche et lui montra alors la lettre d'Hubert. Elle en fut suffoquée. Elle se souvenait d'un garçon timide et coléreux qui écrivait des poèmes pour elle, avec lequel s'était ébauchée une complicité littéraire qu'elle avait eu le tort d'accepter. C'était si amusant de le rabrouer, de le torturer... Mais que de mal cet individu avait fait au petit Denis, et aujourd'hui encore... Elle comprenait à présent. Elle admettait ce besoin d'une réassurance scientifique quant à sa filiation. Mais comment allait-il procéder ? Comment se procurer les éléments nécessaires à ce test ?

– Il faut que tu m'aides, dit Denis. Il s'est remis à fumer. Donc, il suffit d'escamoter un mégot ou deux où il aura fatalement déposé de la salive. Quelques cheveux : il n'y a que toi qui puisses les prélever sur sa brosse... Quant au petit bout de peau...

Tout cela, qui paraissait très simple, ne l'était pas vraiment si l'on ne voulait pas attirer l'attention de l'intéressé. Denis le Petit en frémissait. Il se disait que si son père avait vent de sa suspicion, il serait bien capable de le tuer. En tout cas, de le maudire jusqu'à la dixième génération. Mais rien ne pouvait arrêter sa quête. C'est parce que Marie en fut consciente qu'elle décida, à contrecœur, de l'aider.

Quelques jours après cette conversation, Denis put apporter au laboratoire indiqué par Arno les deux enveloppes indispensables pour l'analyse. Il ne restait qu'à en attendre les résultats qui seraient communiqués au médecin.

Les jours d'attente allaient être longs pour Denis qui ne voulait à aucun prix revoir son père présumé avant d'être fixé. Denis le Grand n'était pas pressé, lui non plus, de revoir ce fils qui l'avait déçu. « Mais peut-être est-ce la fonction des enfants de vous décevoir, avait-il déclaré à Bess, pour que leur envol ne soit pas un arrachement ? »

Un appel pressant d'Agnès l'arracha à sa morosité. Romain Sérignac arrivait au bout de sa vie d'honnête homme, et, avant de basculer, il souhaitait revoir son fils et son petit-fils une dernière fois.

C'est Marie qui se chargea de prévenir Denis le Petit qu'un Falcon affrété par son père les conduirait le lendemain matin à Montcomble où son aïeul se mourait.

– Un avion ? Mais c'est ridicule ! s'insurgea le garçon. Ça fait armateur grec… Qui veut-il épater avec ça ?

– Écoute, dit Marie, je sais bien que tu es encore à l'âge stupide, mais il serait temps que tu en sortes. S'il y a vraiment un homme au monde qui ne cherche à épater personne, c'est bien Denis. Mais Montcomble est mal desservi, difficile d'accès, et il se peut qu'on décide de faire hospitaliser Romain à Bordeaux.

Denis le Petit se tut, penaud.

– Bonjour.

– Bonjour.

Père et fils, non préparés à ce tête-à-tête, firent le trajet quasiment en silence.

– C'était bien, l'Inde ?

– Très bien, oui.

– Tu me raconteras ça…

Amaigri et rongé par une douleur sournoise, Romain Sérignac se savait à la fin de sa vie, mais n'en faisait pas un sac de nœuds et entendait n'embêter personne avec ça. Il s'inquiétait de l'avenir, comme toute personne sensée en l'an de grâce 2002, et le calme de Denis le laissa étonné.

– Enfin, ne me dis pas que tes affaires vont bien ; tu serais le seul à ne pas te plaindre !

– Mes affaires ne vont pas bien, elles sont quasiment au point mort. Mais, comme je les ai bien gérées dans les temps prospères, je n'ai pas de graves ennuis. Le vieux lecteur de Marx que tu étais autrefois sait que le capitalisme est sujet à des crises violentes, brutales, de rénovation, mais qu'il en sort plus vigoureux que jamais. Le vieux rêve révolutionnaire de la crise finale censée emporter tout le système n'est plus qu'un rêve. Il s'agit donc de résister, de tenir bon – et je tiendrai. Je suis calme, comme tu dis, pas aveugle, je n'ai objectivement aucun moyen d'influer sur l'Histoire que je vois venir avec ses menaces. Alors, j'observe...

« En tant que Français, je suis inquiet pour mon pays. Je ne lui vois plus de colonne vertébrale, d'armature morale, d'autres attentes que celle de loisirs prolongés. Cela se comprend : rien n'est plus triste que de s'ennuyer dans son travail, et c'est le sort du plus grand nombre. Mais un tissu est en train de se désagréger, qui ne se réparera jamais : le fameux savoir-faire français. Dans leur grande majorité, les gens n'aiment plus leur vie. De surcroît, je crois que la France est victime de son passé, qu'elle ne saurait survivre sans motifs de fierté. Or je ne vois pas d'où ils pourraient lui venir. Je crains qu'elle ne s'éteigne comme une bougie

242

qui achève de se consumer, sans qu'on en prenne conscience.

« Comme Juif, je n'ai nul besoin de te faire un dessin : c'est reparti. Jusqu'où ? Imprévisible. En d'autres temps, j'aurais dit : "C'est le moment de faire sa valise." Mais pour aller où ? De surcroît, je ne me sens pas une âme de réfugié. Français je suis, Français je mourrai. Ce que je dis là ne vaut naturellement pas pour Denis le Petit. À sa place, je changerais de continent.

« Comme citoyen du monde, les sujets de réjouissance ne sont pas non plus nombreux, et là aussi je suis, nous sommes tous impuissants. C'est un moment de l'Histoire... Pour le meilleur ou pour le pire, elle avance, rien n'est jamais immobile... Alors, restons optimistes !

– En gros, je souscris à tout ce que tu viens de dire, constata Romain Sérignac, mais, depuis ma naissance, j'ai pu vérifier que les Français n'ont jamais été contents de leur sort et que l'état du monde a toujours été désastreux. Cela me permet de garder quelque distance avec les pronostics catastrophistes... Et toi, Petit Denis, qu'est-ce que tu en penses ?

– Moi, je me tiens peu au courant des affaires publiques. Et je me rends compte que quand on me parle des Français, je ne sais pas qui c'est. Je connais en gros cinquante personnes, dont mes camarades d'études ! Mais je rentre d'Asie où j'ai passé trois semaines en Inde et trois autres semaines en Chine, et je peux te dire qu'ils travaillent, ceux-là ! Et qu'ils sont ambitieux ! Je crois que l'avenir se joue là.

– Tu as envie d'y retourner ? demanda Romain.

– Oui. Et d'y travailler.

– C'est un bon projet. Qu'en penses-tu, Denis ?

– Je suis d'accord, à condition qu'il ne coupe pas les ponts derrière lui. Un ou deux diplômes en guise de bagage n'ont jamais fait de mal à personne.

– Et toi, mon garçon, quels sont tes projets ?

– Moi ? dit Denis. Être heureux. Tout au moins essayer. Je suis assez doué. Beaucoup de choses me font plaisir…

– Pardonne mon indiscrétion. Est-ce qu'il y a une femme dans ta vie, en ce moment ?

– Non, pas vraiment.

– Essaie donc pour une fois que ce soit « vraiment » !

– Tu crois que c'est bon pour le bonheur ?

– Assurément.

– Moi, je crois que ce qui est bon, c'est de changer.

– Tu me choques. En voilà, des conseils à donner à son fils !

– Je crois, sourit Denis le Grand, qu'il n'aura pas besoin de mes conseils pour ça… Mais nous voilà bien frivoles, tout à coup : on ne te fatigue pas, avec ces bêtises ?

– Non. Cela m'a fait tellement plaisir de vous voir tous les deux…

27

Le lendemain matin, Romain Sérignac ne se réveilla pas. Il était mort endormi, à quatre-vingt-deux ans. Denis le Petit fut chargé d'aller chercher le curé. Denis le Grand prit la voiture d'Agnès pour trouver l'entrepreneur de pompes funèbres. Ils firent ensemble un tour au cimetière où se trouvait le caveau de famille.

– Tu vois, dit Denis le Grand, je serai enterré là, moi aussi. Et, si tu le veux, il restera une place pour toi…

L'enterrement se déroula en toute simplicité, dans cette paroisse de campagne, en présence de quelques villageois. Les deux Denis restèrent une petite heure avec Agnès, puis repartirent en lui faisant promettre de téléphoner tous les jours. Elle adorait ça et se livrait à une orgie de mobile avec sa sœur et ses nièces.

Dans l'avion du retour, les deux Denis restèrent à nouveau silencieux, plongés dans leurs journaux. Difficile de dire lequel des deux avait davantage envie de parler à l'autre. Aucun des deux n'y céda.

Dans le taxi qui les ramenait à l'aéroport, le garçon demanda :

– Où tu habites ?

– Toujours au Lancaster, quand je suis à Paris...

– Ça n'est pas triste, de se retrouver seul à l'hôtel, un soir où l'on est fatigué ?

– Quelquefois, oui. Mais ce qui est vraiment triste, c'est de retrouver quelqu'un qu'on n'a pas envie de voir.

– Ça t'est arrivé souvent ?

– Non. Mais je n'ai jamais été marié. À Londres, il y a toujours eu quelqu'un pour m'accueillir, le soir, si je le désirais : c'était Sarah. Mais il s'agissait d'une relation très particulière... Je n'ai pas de conseil à te donner, mais le mariage...

Denis le Petit bondit :

– Pourquoi dis-tu que tu n'as pas de conseils à me donner ? J'en ai besoin, au contraire, de tes conseils ! Tu en as bien pris, toi, auprès de Romain, et tu ne l'as jamais regretté...

Il réussit à faire rire Denis le Grand qui concéda :

– Tu as raison. « Je n'ai pas de conseils à te donner » est une formule toute faite qui, dans le cas présent, n'a aucun sens... Je te dépose ? Ou tu dînes avec moi ?

– Je dîne avec toi.

– On va chercher un endroit sympathique. Tu aimes manger français ? italien ? poisson ? chinois ? marocain ?...

– Je m'en fous complètement, répondit Denis le Petit.

– Quelle erreur, mon garçon ! Connaître deux fois par jour le plaisir ou le déplaisir est quelque chose qu'il convient de ne pas négliger. Si les Français sont encore fréquentables, c'est parce qu'ils continuent à aimer manger. Ce sensualisme leur épargne d'être tout le temps hargneux.

Il indiqua une adresse au chauffeur.

– Ce n'est pas le grand luxe, mais c'est ma cantine, une bonne table sans chichis.

Dans ce bistrot sympathique, Denis le Petit essuya quelques chocs dès qu'il se fut mis à poser des questions. D'abord sur les relations de Denis le Grand avec Israël. Ce dernier lui exposa qu'il venait d'adopter trois enfants israéliens dont les parents avaient été tués par l'exploit d'un kamikaze. Ils seraient en Grande-Bretagne dans un mois, dès que les formalités seraient réglées, ce qui n'était pas si simple.

– Tu fais ça pour quoi ?

– Peut-être parce que j'ai moi-même été un enfant adopté... Disons que j'essaie de corriger le destin de ces trois petits Israéliens. Pourquoi en es-tu si étonné ? Tu nourris contre moi des griefs, rien de plus normal, mais ces griefs sont bizarres... Ainsi tu as dit à Bess que j'étais avare comme tous les Juifs... Les autres, je ne sais pas, mais si un reproche me concernant est saugrenu, c'est bien celui-là !

– Bess t'a dit aussi que je te reprochais de me faire chier, quelquefois ?

– Cela va de soi, répliqua Denis le Grand. Question d'âge. Mais nous finirons par aimer le même jazz, je suis tranquille. Quoi d'autre de plus grave ?

– Je vous ai trop peu vus, Marie et toi, quand j'étais môme. Surtout toi. Tu m'as laissé vaguer trop longtemps autour de ma naissance... Et puis, cette façon de vivre constamment à cheval sur Paris et Londres fait que je ne me suis jamais senti chez moi ni ici, ni là. À l'avenir, je voudrais en être dispensé, avoir un lieu bien à moi, avec un chat qui m'attende quand je rentre.

– Tu en es dispensé à compter d'aujourd'hui, acquiesça Denis le Grand. Dis-moi où tu veux vivre, et nous trouverons bien le moyen de nous rencontrer quelquefois.

– Quant à cette histoire de judéité, c'est une merde que vous m'avez refilée… Si vous considérez que je suis juif, ou si la loi le dit, il fallait m'en faire part dès que j'ai été en âge de comprendre, et j'aurais assumé, comme tout le monde, la religion et les mœurs de ma famille. Aujourd'hui, c'est difficile pour moi, je n'en ai aucune envie… Non, je n'ai pas envie d'être ostracisé, de craindre la persécution, de vivre avec une étoile jaune symbolique sur le front, de porter toute l'angoisse du monde…

– Parce que tu crois que je vis comme ça ? s'exclama Denis le Grand.

– Je ne sais pas. Est-ce qu'on connaît les rats qui rongent son père ?

– Il y en a, je te les présenterai un jour, si tu veux, mais ce ne sont pas ceux auxquels tu penses…

– Bref, reprit le garçon, je suis indécis. Quand je suis allé consulter Romain, il m'a dit : « Personne ne peut décider pour toi. Mais, au fond, pourquoi devrais-tu décider ? Si un jour le besoin d'un Dieu te taraude, tu iras spontanément ici ou là, et ce sera cela ta vérité. »

– Je souscris entièrement, approuva Denis le Grand.

Ils furent interrompus, le temps de passer leur commande. Impatient de renouer avec son discours, Denis le Petit s'aligna sur celle de son père. Il avait bu la moitié d'une bouteille de Chablis apportée par le patron en guise d'apéritif, et son élocution s'en ressentait.

– Et puis, vous m'avez laissé entre les mains d'un type infect qui m'a intoxiqué à petit feu…

– Un type infect ? De qui parles-tu ? Explique.

– Tu te souviens d'Hubert, mon précepteur pendant six ans ?

Denis le Grand se souvenait vaguement d'un grand jeune homme mielleux.

– Regarde ce qu'il m'a écrit, dit Denis en tirant de son portefeuille la lettre reçue d'Allemagne.

Denis le Grand la lut lentement, attentivement, puis la rendit à son fils, se cacha le visage avec ses deux mains tout en murmurant :

– C'est ignoble.

– Mais, à part ça… Tu es mon père, oui ou non ? interrogea Denis le Petit.

– C'est ce que dit la seule personne qualifiée pour le savoir, mon garçon, c'est-à-dire Marie. Viens, on s'en va, à moins que tu ne veuilles un dessert ?

– Non, j'ai besoin d'aller prendre un peu l'air…

Criant qu'on lui mette de côté l'addition, Denis le Grand gagna la sortie et Denis le Petit s'engouffra derrière lui dans la porte revolver. Ils firent quelques pas rapides en silence ; puis Denis le Petit hasarda doucement :

– J'ai encore quelque chose à te dire…

– Ah non ! N'en jette plus !

– Si, insista Denis le Petit. J'aurai demain le résultat d'une analyse d'ADN confirmant ou infirmant le fait que tu es mon père.

La stupeur de Denis le Grand lui coupa la parole. Ahuri, suffoqué, il se maîtrisa néanmoins et interrogea :

– C'est toi qui as demandé ce test ?

– Oui.

– Eh bien, mon garçon, dans la situation où tu étais fourré, c'est ce que tu avais de plus intelligent à faire... Laissons parler la science !

28

Ce soir-là, Denis le Petit rentra alors que Marie était déjà couchée. Comme souvent, il vint l'embrasser et songea furtivement que, s'il occupait bientôt l'appartement promis par Denis, Marie n'y serait pas. Mais bon, il faut bien grandir...

– Comment c'était, cet enterrement ? demanda-t-elle.

– Sympathique et assez émouvant... Il n'y avait qu'une vingtaine de personnes, mais vraiment tristes.

– Tu es parti sans ton portable. Il y a des messages pour toi sur le répondeur.

Une agence de photos souhaitait l'envoyer en reportage en Espagne, il devait rappeler le lendemain avant onze heures. Mariette s'impatientait. Enfin, il entendit la grosse voix d'Arno : « Résultat positif, mon garçon. Tu es bien le fils de ton père. Si tu as besoin de moi, appelle ! »

Denis le Petit eut alors conscience du plaisir ambigu qu'il avait pris à se faire peur. Au fond de lui-même, à aucun moment il n'avait vraiment douté, bien que la lettre d'Hubert l'eût ébranlé. Mais il avait aimé flirter avec l'idée d'un saut dans l'inconnu, d'un autre père. En définitive, celui-ci lui convenait très bien, et il était soulagé à la pensée que rien ne l'obligeait à feindre d'être juif, qu'il lui faudrait seulement être respectueux de tous jusqu'au jour où, peut-être, un choix s'imposerait à lui, où Dieu le prendrait par la main, comme avait dit Romain Sérignac.

Il vint annoncer la bonne nouvelle à Marie qui, sans avoir jamais douté de son issue, avait détesté toute cette histoire qu'elle estimait insultante pour elle. Elle voulut savoir comment ces deux jours passés avec son père s'étaient déroulés et où ils en étaient, après être restés campés tous deux sur leur orgueil.

Denis le Petit la rassura. Devant la mort, tout devient vite relatif. Leur querelle s'était désintégrée face à la sérénité de Romain Sérignac qui les avait voulus unis.

– Nous avons beaucoup parlé, raconta-t-il. Je lui ai dit des choses peu agréables, qu'il a acceptées. Il est d'accord pour que je continue dans la photo, mais il ajoute que si je suis bon, cela me conduira forcément en Amérique ; il est très pessimiste sur ce qu'un jeune qui en veut peut faire en France s'il n'est pas bardé de diplômes. Pour faire son trou, dans cette société stratifiée, il faut être ou diplômé ou artiste. Il dit que sans diplômes ou sans un talent particulier, tu es jeté. Aussi insiste-t-il pour que j'« assure » en m'inscrivant à Dauphine. C'est ce que je vais faire. Parce qu'il a raison. Puis je volerai à la conquête de l'Amérique avec mes photos !

Ils rirent ensemble, heureux et soulagés d'avoir renoué des liens de confiance avec Denis le Grand.

29

Un mois plus tard, la galerie Sérignac recevait une centaine d'invités, personnalités du Tout-Londres auxquels Denis le Grand présentait un somptueux ensemble de peinture espagnole.

À cette époque, Hubert Lüring a mis le pied depuis un certain temps sur le sol britannique avec un passeport français périmé. La police l'a laissé passer. Il est sans travail, au bout du rouleau. Il couche dans le métro, peine à se garder propre dans son imperméable froissé. Les choses ont mal tourné en Allemagne où il a été surpris avec un garçonnet sur les genoux. Il a pris la fuite. Il considère qu'il a été victime d'un « complot juif » fomenté par quelque professeur rival. Errant ce jour-là dans les beaux quartiers de Londres, il entre dans un pub, avale coup sur coup trois bières. Une femme vulgaire lui adresse la parole, lui demande une cigarette ; il ouvre sa braguette, lui exhibe son sexe et rit bruyamment. La femme crie. Il s'esquive, continue à marcher à pas pressés et tombe sur ce qu'il cherche, la vitrine violemment éclairée de la galerie Sérignac.

Un petit chapiteau précède l'entrée où se pressent les invités. Les deux Denis accompagnent les personnalités étrangères qui honorent l'exposition de leur présence. Le cérémonial habituel se déroule à la perfection, quand on entend une femme laisser échapper un petit cri aigu. Elle pointe le doigt sur les invités en disant : « Là ! Il est là !... » C'est la femme du pub. Elle désigne Hubert, mais, dans la cohue, son émoi n'intéresse personne. L'homme au feutre mou et à l'imperméable douteux continue tranquillement à fendre la foule pour s'approcher des hôtes étrangers, en arrêt devant un Chillida. Il colle alors à Denis le Grand et lui plante un couteau dans le ventre.

La suite est confuse, très rapide. Denis le Grand vacille, Denis le Petit ceinture l'agresseur, des gens de bonne volonté se précipitent à l'aide de l'un et de l'autre. Denis le Grand, étendu par terre, et dont le sang coule, parle d'une voix calme à Marie penchée sur lui, il lui indique quel service de secours il faut appeler, vite ! Quant au criminel, un policier l'a déjà menotté.

Aussitôt, Denis le Petit se saisit d'un micro pour rassurer les invités et leur dispenser quelques explications. La soirée a beau être perturbée, le traditionnel sang-froid britannique triomphe de la panique.

Une civière a emporté Denis qui a perdu beaucoup de sang. Un policier escorte la femme du café qui tient furieusement à témoigner. C'est seulement en revenant vers Hubert, privé de son chapeau par le policier, que Denis le Petit le reconnaît. Il souhaite échanger quelques mots avec lui avant qu'on ne l'embarque. Hubert lui répond en allemand :

– Ce Juif m'a tout volé. Je lui ai pris la vie. C'est la justice de Dieu ! »

– Qu'est-ce qu'il raconte ? demande le policier.

– N'importe quoi, il blasphème en allemand. C'est un fou.

– Il parle allemand mais il a un passeport français périmé. D'où vient-il, ce client ?

– De l'enfer, répond Denis le Petit. De l'enfer.

30

Hubert est en prison, prostré. Il refuse de s'alimenter, car on veut, prétend-il, l'empoisonner. De toute façon, son compte est bon. Denis Sérignac est mort de ses blessures. Il s'est éteint entouré de ceux qui l'aimaient : Marie, blême ; Bess, effondrée ; Denis le Petit, contenant mal son émotion ; Arno, accouru dès qu'il a été prévenu, Agnès, qu'il faut soutenir.

Denis le Grand a eu le temps de leur dire qu'il voulait être enterré à Montcomble, dans le caveau familial, avec la bénédiction du vieux curé de la paroisse qui l'a baptisé.

Marie soulève une objection : on ne peut tout de même pas oublier que Denis était juif et qu'il en est mort. Arno approuve ; il indique qu'il dira le *kaddish* sur la tombe. Bess suggère que l'urne contenant les cendres de Sarah soit placée à côté du cercueil, dans le caveau. Proposition acceptée à l'unanimité. On convient aussi d'une annonce sobre dans le carnet du *Monde* et du *Times* de Londres, accompagnée de la mention : « Les obsèques auront lieu dans la plus stricte intimité. »

Enfin, Denis le Petit émet un vœu : il désire des fleurs, des tonnes de fleurs comme son père les aimait, blanches. « Denis a raison, je m'en charge… », dit Marie.

Un chroniqueur, spécialiste des *beautiful people*, mangeant la consigne, réussit à dénicher Montcomble sur une carte routière et voici ce qu'il écrivit :

«Aux obsèques de Denis Sérignac, le dandy des marchands d'art, on attendait le grand jeu, la *Messe en Si* chantée par Jessie Norman, un discours du ministre de la Culture... Rien ! Denis Sérignac était tellement snob qu'il a réussi à n'avoir personne à ses funérailles, sinon mille roses blanches... »

Cet ouvrage a été composé par
PARIS PHOTOCOMPOSITION
75017 PARIS

Impression réalisée sur CAMERON par
BRODARD ET TAUPIN
La Flèche

pour le compte des Éditions Fayard
en janvier 2003

Imprimé en France
Dépôt légal : février 2003
N° d'édition : 29639 – N° d'impression : 17014
ISBN : 2-213-61504-7
35-33-1704-2/01